# DINERO, FELICIDAD, TIEMPO LIBRE

Juverley Londoño Agudelo

LONDOÑO Agudelo, Juverley.
DINERO, FELICIDAD, TIEMPO LIBRE.
3ª. edición. Medellín, Colombia, abril de 2021.
212 pp. 16,5 cm x 23 cm. Carátula propalcote 320 grs.
Interior, papel bond 90 grs.
ISBN: 978-958-48-8089-5
1. Educación ciudadana. 2. Finanzas. 3. Economía doméstica.

**DINERO, FELICIDAD, TIEMPO LIBRE**


Correo: *info@dinerofelicidadtiempolibre.com*

ISBN: 978-958-48-8089-5
Hecho el Depósito Legal:
Tercera edición: abril de 2021

Gramática y estilo: Federico H. Taborda C., Nancy Milena Martinez Palacio, Gloria Piedad Mejia Carmona.
Gráficas financieras: Mario Andres Lotero Villada
Ilustraciones: Guillermo Arango Velásquez
Diagramación: Jorge I. Correa *-dcgrafica-*

Impreso por:
Industria Gráfica Litoservicios
*litoservicios@une.net.co*

Hecho en Medellín, Colombia

*A mis padres, mis ancestros*
*y a mis mayores, quienes*
*me enseñaron el valor del*
*dinero trabajado.*

# AGRADECIMIENTOS

*De manera especial quiero agradecer a todas aquellas personas anónimas que he podido mirar con mi lupa crítica, a los que he visto desesperados anhelando respuestas para enderezar su vida financiera.*

# - ÍNDICE -

# PRÓLOGO

A Juverley Londoño Agudelo lo conozco desde que estudiaba con él ingeniería electrónica en la Universidad de Antioquia. Él es estudioso, disciplinado y buen amigo. En ese entonces, como buen estudiante, lo impulsaba el deseo de ser un empresario exitoso. Hoy, varios años después, logró sus sueños familiares, profesionales y económicos y también empieza a realizar otro sueño intelectual: servir a la humanidad desde aquello en lo que es talentoso, la Educación Financiera.

Cuando compartí con Juverley la constitución de la Fundación Medellín Próspera y su propuesta de valor ***"Formamos en competencias financieras, relacionales y emocionales con un modelo educativo experiencial que inspira personas a desarrollar su potencial para crear riqueza integral"*** de inmediato me dijo: ***"Próspero, listo. ¡Hagámoslo!"*** *Y* junto a Alex-Infinito empezamos la Comunidad de Apoyo Medellín Próspera, donde por medio de la Educación Financiera Experiencial hemos impactado positivamente la vida de miles de familias para que sean familias prósperas.

Juverley, con su propósito filantrópico, quiere con este libro apoyar al lector y su núcleo familiar para administrar bien el dinero, a saber apalancarse con los bancos, a que sea consciente de los grandes destructores de patrimonio familiar, a entender cómo funcionan los créditos bancarios, a "ponerte bonito para los bancos", a hacer de la pensión un modelo de negocio; cómo darle buen uso a la tarjeta de crédito y cómo ganar dinero con ella, y más temas que son necesarios para una vida sana financieramente.

Amigo lector, te exhorto para que leas y estudies muy bien el contenido de este libro, lo apliques rápidamente a tu vida, a que administres tus finanzas personales y familiares como si fuese una empresa: con presupuestos, plan financiero, con indicadores financieros, con múltiples fuentes de ingreso, con planeación tributaria, igualmente a invertir en activos productivos, a pagar puntualmente tus obligaciones financieras, a educar financieramente a tus hijos y a usar correctamente la "espiral virtuosa de construcción de riqueza"... Todo para que vivas con más dinero, con más felicidad, con más tiempo libre, para que te dediques a hacer lo que te place hacer y compartir ese tiempo con los seres que amas... *¡Para ser una Próspera Persona!*

Maestro Juverley, toda mi admiración por ti, por tu aporte a la humanidad y por tu don de servir. Tienes un amigo incondicional que te ama.

Alberto "Próspero" Hernández López

*www.medellinprospera.org*

# PRIMERA PARTE

Todos nos relacionamos con el dinero de forma diferente: románticos, desapegados, celosos, amantes empedernidos, posesivos, avaros, dadivosos, ambiciosos, en fin, muchos otros calificativos se podrían sumar a la lista. En la mayoría de los casos, tenemos con el dinero una especie de vínculo amoroso: nos gusta, lo buscamos, le coqueteamos, nos enamoramos de él, pero en otros casos, causa sufrimiento, nos quita el sueño, o hasta lo tratamos con indiferencia. Es así como un deseo desmedido por el dinero, el apego o el desdén hacia este, pueden causarte serios problemas.

A partir de mis experiencias como asesor financiero y desde la observación que hago del comportamiento de las personas en el contexto de sus finanzas, encuentro que se presentan hábitos o acciones adversas que generan una relación tóxica entre individuo y dinero como compras compulsivas, acaparamiento de dinero, adicción al trabajo, así que es necesario que identifiques cómo es el vínculo que estableces con el dinero para comprender el uso que le das.

En esta sección vas a observar los sentimientos que sembraron en tu niñez y las actitudes que tienes hoy hacia el manejo de tus finanzas.

Por favor descubre cómo es tu relación y mejórala, basado en *el ser* y no en *el tener.*

> *Identifica tus hábitos o acciones adversas que generan una relación tóxica entre individuo y dinero como compras compulsivas, acaparamiento de dinero, adicción al trabajo, entre otras, para comprender el uso que le das.*

# NOTAS Y COMPROMISOS

## IDENTIFICA LOS LIMITANTES QUE TIENES CON EL DINERO

Es innegable que el dinero es un elemento fundamental en nuestra vida. La mayoría de las personas en el mundo trabajamos día a día vendiendo nuestro tiempo y saberes por una compensación económica y hay quienes están en cárceles por asuntos asociados al dinero. Somos nosotros quienes lo hemos subido al pedestal, dándole un valor supremo que no es el adecuado.

Medimos el éxito de las personas por la cantidad de dinero que tienen, es una medida cuantitativa basada en el tener y no en el ser, porque lo tomamos como un medio para recompensarnos y gastar en cosas. Es cierto que el dinero nos brinda seguridad económica al proveernos de servicios básicos para la subsistencia y el disfrute de momentos de ocio, así que debe ser adquirido para que nos brinde un servicio, pero no debe ser tomado como el fin mayor de nuestra existencia porque en esa línea de conducta somos nosotros los que terminamos sirviéndole a él.

Bronnie Ware, enfermera australiana, reunió en su libro: "Los cinco arrepentimientos de los moribundos" aquellos motivos de aflicción más comunes y frecuentes que experimentan las personas que están cercanas a la muerte:

1. Ojalá hubiera tenido el coraje de hacer lo que realmente quería hacer y no lo que los otros esperaban que hiciera.
2. Ojalá no hubiera trabajado tanto.
3. Hubiera deseado tener el coraje de expresar lo que realmente sentía.
4. Habría querido volver a tener contacto con mis amigos.
5. Me hubiera gustado ser más feliz.

Ninguno de los pacientes en etapa terminal expresó que hubiera querido tener más dinero, sin embargo, muchos de ellos arruinaron su vida por ir tras él.

Mi reflexión acerca del estudio de la enfermera Bronnie Ware es que la mayoría de las personas en su fase terminal, cuando saben que pronto morirán, regresan a lo simple y cotidiano de la vida como el compartir en familia y amigos, no trabajar tanto, buscar hacer lo que realmente se quiere, vivir para sí mismos y no para los demás, ser felices. Todo esto se tiene cada día, y se requiere de poco dinero para obtenerlo, pero nos empeñamos en TENER para ser competitivos y nos olvidamos del SER y detrás de ese tener se nos olvida *el vivir*.

Pasamos demasiado tiempo preocupados por ganar dinero. Muchas personas se llenan de éste, pero crean un vacío en su alma hasta que terminan yendo a un psicólogo o psiquiatra para resolver lo que el dinero no resuelve.

El sistema ha hecho del dinero el dios terrenal y la mayoría sucumbimos a sus múltiples atractivos, entre ellos a un segundo dios: el poder. Entonces, las mejores cosas, las que no tienen precio porque no las podemos comprar, pasan a un segundo plano en nuestra vida.

Tengo amigos "exitosos," con patrimonios importantes que suman varios ceros a la derecha; salen muy temprano de su hogar, dejan a su familia en los brazos de Morfeo y cuando regresan, después de todo un día de trabajo e incluso después de varios días de un largo viaje de negocios, encuentran a sus hijos más familiarizados con sus nanas que con ellos. Estos padres se convierten en figuras bancarias, buscan llenar el tiempo perdido satisfaciendo cada uno de los caprichos de sus hijos con cosas que se pueden comprar, aunque muchas veces los pedidos de sus hijos sean un llamado silencioso de compañía y afecto.

Es así como el dinero abunda, pero el tiempo para la familia escasea y el amor toma otras formas. La familia es de fin de semana, los otros días solo se piensa en producir bienes materiales. La recompensa es que a nuestros seres queridos no les falta nada, en términos de todo aquello que se pueda comprar. Aunque se esté muy lejos de la esencia de lo que debe ser una verdadera familia, compartir nuestro tiempo con ella es la mejor inversión que podemos hacerle a nuestra existencia.

Esa actitud de entrega absoluta a la adquisición del dinero, que supera nuestro interés por el ser y por el tiempo en familia, es una de las diversas situaciones adversas que devienen de los aprendizajes o formas de comprender la función de los recursos económicos en nuestra vida, cuyo origen se sitúa en gran parte en la infancia y que en el presente actúan como limitantes para una vida provechosa a nivel afectivo y financiero. Vamos a buscar los posibles limitantes que tienes con el dinero, porque es necesario que identifiques cuál es tu forma de relacionarte con él y comprender el uso que le das, además, de analizar el entorno cuando eras pequeño, cuáles costumbres, enseñanzas o estilos de vida determinaron la visión que hoy tienes frente al dinero. Por ejemplo, si en tu familia tenían el tabú de "no hablar de dinero porque es de mala educación", esto se refleja de manera inconsciente en tus decisiones de adulto y posiblemente lo estés transmitiendo a tus hijos, cuando este recurso es esencial para vivir adecuadamente y lo ideal es conocerlo, por lo tanto, deberíamos hablar con naturalidad.

El origen de los limitantes para administrar y tener una vida financiera estable y saludable tiene lugar en tu niñez. Regresa al niño que fuiste y toma nota de cómo fue el manejo del dinero que hicieron las personas con las que creciste, cómo se referían tus padres a la administración de las finanzas familiares. Debes considerar las prioridades que tenían en tu familia, por ejemplo, si tus padres compartieron poco tiempo contigo porque estuvieron ocupados haciendo dinero para que no te faltara nada y, tal vez, así fue, no te faltó nada material, pero no estuvieron a tu lado en esos momentos de angustia y soledad donde solo se requiere un abrazo y un largo silencio.

Identificar cada uno de esos momentos te llevará a tomar conciencia de tu presente y revertir cualquier pensamiento limitante que no esté alineado con lo que has cosechado en tu vida financiera y también a asumir acciones correctivas.

*La verdad es que el limitante principal para salir de deudas y proyectarte con libertad financiera eres tú, nadie podrá hacer nada por ti.*

*La única persona que tiene el poder de cambiar tu realidad financiera eres tú.*

Cambiar las creencias que traemos desde la infancia sobre el dinero no será tarea fácil y pueden salir a la luz muchas ideas equivocadas, pero el único responsable de custodiarlas o retirarlas eres tú. Así que, adelante, a descubrir y erradicar la maleza financiera que hay en tu mente. Recuerda siempre que debemos darle prioridad al ser y no al tener.

De nuestra infancia todos tenemos alguna frustración por el juguete mágico que no pudimos tener por falta de dinero para comprarlo, pero igualmente tenemos vacíos de nuestros padres, que sacrificaron el tiempo para compartir con sus hijos porque era necesario trabajar.

Tener conocimientos financieros requiere entrenamiento y disposición para lograrlo, es como aprender a montar bicicleta, conducir un carro, practicar un deporte. Al principio se requiere de un poco más de sacrificio, pero a medida que avanza el tiempo y practicas mejoras los conocimientos y te vas volviendo un experto. Así que a entrenarte, practicar y mejorar la técnica cada día, no te arrepentirás.

***El dinero es un medio, no un fin.***

¿Cómo descubro mis creencias limitantes?

- En la noche, antes de dormir haz una regresión mental a tu niñez, analiza cómo era la vida financiera que te rodeaba.
- Identifica las creencias en las que se basaba ese entorno financiero y sepáralas en positivas y negativas
- Toma nota de cada una de ellas e inicia por generar una actitud de cambio en aquellas que actúan como un repelente para el dinero y conviértelas en un imán de atracción de prosperidad.
- Trabaja una por una y cambia el concepto de repeler por imán financiero. Ten en cuenta que el dinero es un medio para mejorar la vida, pero no debe ser el fin de nuestra existencia.
- Podrás darte cuenta de que la administración del dinero es emocional, y que lo más importante en su manejo es el control de las emociones.

Veamos algunos ejemplos acerca de cómo las personas en situaciones similares toman diferentes decisiones frente al dinero.

*Un amigo me contaba que cuando era niño en su casa había escasez de muchas cosas, incluido el alimento, y en el colegio era sujeto de burlas por no contar con recursos económicos. Un día en el que vio llorar a su madre por las condiciones en que vivían, se juró así mismo que en su casa nunca más faltaría el dinero, y siendo tan solo un niño de 13 años abandonó los estudios para ir a trabajar y ganar dinero de forma honrada, con mucha dificultad, pero con metas claras. Tomó esa situación de pobreza como una oportunidad para salir adelante. A los 22 años ya era un comerciante próspero, logró terminar sus estudios de secundaria y, gracias a su éxito financiero, sus hermanos pudieron ingresar a la universidad. Mi amigo cumplió lo que un día se había jurado: en su casa, nunca más, habría escasez. Hoy llegando a sus 40 años es un hombre muy próspero.*

*Otro caso, es el de una amiga que en su adolescencia estaba acompañando a su padre al centro de la ciudad para realizar unas diligencias y en ese momento su padre sufrió un percance de salud, ella lo llevó al centro médico más cercano donde no recibió la atención requerida por no tener el dinero suficiente para pagar el servicio. Su padre murió aquel fatídico día.*

*Algunos años después, ella estudió enfermería, buscando, de alguna manera, salvar en otras vidas, la vida de su padre. El dinero que ganaba no le alcanzaba para sus gastos, cinco días después del día de pago ya no tenía ingresos disponibles.*

*Un día descubre que de una forma inconsciente tiene una aversión al dinero y se manifiesta en el uso que hace de este, la cual surgió a partir de esa triste experiencia con su padre. De alguna manera asociaba la tenencia de dinero con algo malo, ya que por carecer de este su padre había fallecido. Cuando logra establecer esta relación hace el cambio de mentalidad y comienza a manejar su dinero de forma diferente, esto se refleja en su vida financiera e inicia la senda hacia la prosperidad.*

En cada uno de los casos anteriores, la ausencia de dinero motivó acciones diferentes en estas personas. Fueron situaciones que sembraron comportamientos diferentes, cada uno tenemos nuestra propia historia, ¿cuál es la tuya?

La tarea es descubrir cuál es la posible aversión que tienes al dinero desde niño y cambiar esa realidad por la atracción y el buen manejo financiero, considerando que este es un medio para tener calidad de vida y no el fin para que nuestra vida gire a su alrededor. El dinero es indispensable porque cubre necesidades básicas, ofrece tranquilidad y genera felicidad cuando logras gozar de ciertos privilegios, comodidades y tiempo de esparcimiento, así que responde esta pregunta muy frecuente en los temas de formación financiera: "¿Qué estarías haciendo si tuvieras los mismos ingresos, pero no tuvieras que cambiar tu tiempo por dinero?" El dinero llega a tu cuenta mensualmente y puedes hacer lo que se te antoje. La respuesta a esta pregunta te acerca a la felicidad de tenerlo.

La sociedad en cada generación mejora la calidad de vida de las familias, de tal forma que nuestros hijos tendrán mejor calidad de vida que nosotros y nosotros mejor que la de nuestros padres y estos a su vez que nuestros abuelos. Esto nos crea una distorsión frente a la realidad financiera de nuestra infancia y la de nuestros hijos, por eso vamos con ese sentimiento de culpa dándoles lo que nosotros no tuvimos, cuando son realidades diferentes. Uno de los objetivos debe ser educarlos en la administración del dinero para que creen una realidad financiera adecuada en su vida adulta.

## DESCUBRE LOS DESTRUCTORES DE PATRIMONIO EN TU VIDA

Vamos por la vida comprando cosas, tratando de mejorar nuestra situación financiera; para eso, muchos de nosotros invertimos gran cantidad de tiempo y dinero en diferentes áreas de estudio de pregrado, posgrado, especializaciones, entre otros. Estudiamos 12, 16 y hasta 20 años para ganar más dinero y adquirir más bienes, pero en la mayoría de los casos no buscamos capacitarnos para administrar de la mejor forma lo que ganamos. El capitalismo nos ha llevado a un consumo desenfrenado, nos hemos vuelto compradores compulsivos y olvidamos el futuro, si deseamos ser libres financieramente, debemos tener la inteligencia para administrar de manera adecuada el dinero que ingresa cada mes a nuestros bolsillos.

*Si no tenemos la sabiduría financiera para administrar lo poco, menos podremos administrar lo mucho.*

Todos los días, cuando llegamos a descansar, pedimos al universo, a nuestro creador, según las creencias de cada uno, que nos ayude con bendiciones de abundancia, pero no nos damos cuenta de que ya estamos bendecidos y somos nosotros los que no administramos adecuadamente nuestros ingresos y por mucho dinero que nos llegue, no vamos a lograr salir a flote mientras no hagamos un cambio radical en el manejo que hacemos del día a día de nuestras finanzas.

El consumismo, incentivado principalmente por la publicidad, nos está vendiendo un mundo que le conviene mucho más a la industria y al comercio que a nosotros. Estamos desinformados y la poca o inexistente formación financiera, nos convierte en adictos a comprar cosas que no requerimos, y que robustecen los bolsillos de los grandes capitalistas. Estas decisiones en el día a día destruyen nuestro patrimonio familiar.

Vamos a analizar varios de los hábitos de consumo donde se esfuma gran parte de nuestro dinero. A medida que los identifiques tendrás la capacidad para controlarlos. De manera general enuncio los más comunes, pero debes hacer un listado bajo tu realidad financiera para descubrir dónde estás destruyendo patrimonio y cambiar esos hábitos de consumo por hábitos de ahorro.

### Adquirir un préstamo para la compra de vehículo

Uno de los grandes destructores del patrimonio familiar es la compra de vehículo para uso personal con dinero prestado. Tener carro cero kilómetros es una de las metas de muchas familias en el mundo, la publicidad nos lleva a pensar que comprar carro nos hará más felices y, la verdad, la vida no funciona así. Para ilustrarte mejor veamos cómo es el comportamiento de un crédito para vehículo y los costos ocultos que en general las personas no tienen en cuenta hasta que es demasiado tarde.

Este ejemplo muestra los gastos que ocasiona comprar un carro con préstamo, considerando que cuando adquirimos el préstamo debemos sumar a este:

- Seguro de vida por el valor del crédito.
- Seguro todo riesgo por el valor del carro.
- Pignoración o prenda del vehículo.

Los tres requisitos quedan a nombre de la entidad con la que adquirimos el préstamo.

Analicemos los costos de tener un carro a través de un préstamo, basándonos, inicialmente, en un carro comercial de USD 15.000. Dividiremos el análisis en dos partes: la primera, todo lo concerniente al préstamo; y la segunda, lo relativo a tener carro y sus diferentes costos.

Costos concernientes al préstamo:

1. El costo del vehículo cero kilómetros es de USD 15.000.
2. El tiempo del préstamo es de 7 años.
3. La tasa del préstamo es de 12.68% efectivo anual (AE).
4. Total de intereses a pagar durante la vida del crédito de USD 7´242 dólares.

Siempre que hagas un préstamo suma los **costos totales**, es decir, los generados durante toda la vida del crédito para efectos de comparación: interés total, seguro total, cuotas de manejo total, entre otros. Elimina el pensamiento de "pobre" que solo piensa en el valor de la cuota, piensa en el costo total del crédito.

5. La cuota mensual fija a siete años, solamente del crédito, es de USD265. La publicidad está diseñada para engañar tu cerebro poco entrenado financieramente, la información que te brinda es: ¡Desde USD 9 dólares diarios!

El método de amortización usado es el *francés*, cuando vas en la cuota 42, que es la mitad del crédito, aún debes USD 9.217 que es el 61%, y has abonado a capital solo el 39%. Este método beneficia más a la entidad prestadora. Lo analizaremos más adelante.

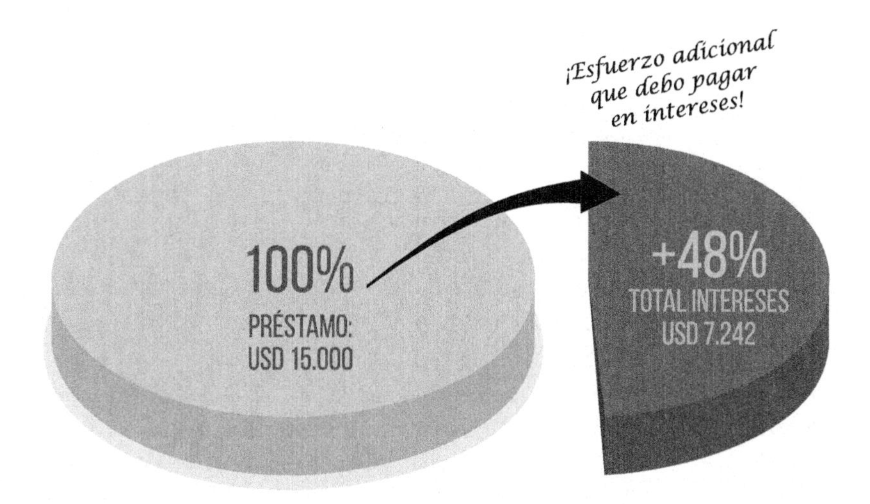


GRÁFICA 1. CAPITAL E INTERESES CRÉDITO VEHÍCULO

6. El seguro de vida es de USD 1 por cada USD 1000 prestados. El valor mensual es de USD 15. Este es otro negocio de las entidades prestadoras, te mantienen el seguro por el 100% del préstamo durante la vida del crédito para un total pagado de USD 1.260. El seguro es para cubrir la deuda, si deseas puedes actualizarlo cada mes, cada seis meses o cada año al valor de la deuda y así te ahorras un dinero en este rubro.

Hasta aquí los costos directos asociados al préstamo del vehículo son:

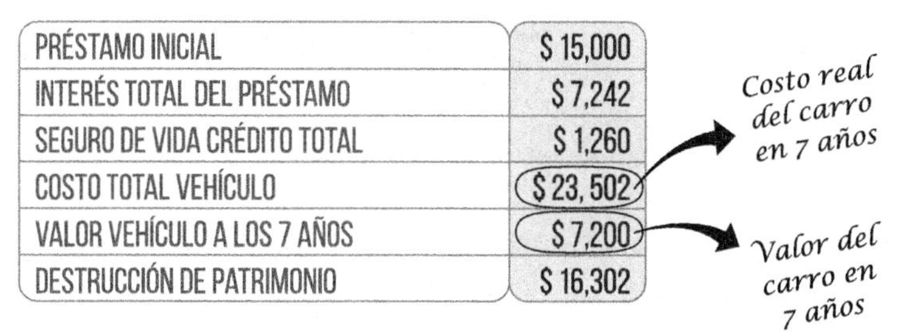

| | |
|---|---|
| PRÉSTAMO INICIAL | $ 15,000 |
| INTERÉS TOTAL DEL PRÉSTAMO | $ 7,242 |
| SEGURO DE VIDA CRÉDITO TOTAL | $ 1,260 |
| COSTO TOTAL VEHÍCULO | $ 23, 502 |
| VALOR VEHÍCULO A LOS 7 AÑOS | $ 7,200 |
| DESTRUCCIÓN DE PATRIMONIO | $ 16,302 |



TABLA 1. COSTO DE UN VEHÍCULO EN 7 AÑOS

Análisis financiero:

Compras un carro por un valor real de USD 23.502 dólares, NO por USD 15.000. No consideraremos el valor del dinero en el tiempo, ni la inflación, asumamos que se cruzan para efectos de facilitar el ejemplo.

La vida del crédito son siete años, tiempo en el cual se presume que terminas de pagar el carro ¿Cuál es tu patrimonio en ese momento? En condiciones normales el carro debe tener un costo en el mercado alrededor de USD 7.200 dólares, pero su inversión total fue de USD 23.502, tienes una destrucción de USD 16.302, equivalente al 70% del total del patrimonio. De este modo se obstaculiza tu progreso financiero.

DESTRUCCIÓN DE PATRIMONIO SÓLO PRÉSTAMO

Costo del carro en 7 años

Patrimonio que destruyo sólo con el préstamo para el carro

USD 7.200

USD 16.302

GRÁFICA 2. DESTRUCCIÓN DE PATRIMONIO EN PRÉSTAMO DE VEHÍCULO

Por otro lado, disfrutaste el vehículo ¿vale la pena destruir tanto patrimonio por el placer de satisfacer un deseo?

Ahora, vamos a analizar una serie de gastos inherentes a tener un vehículo, que con frecuencia se pasan por alto al momento de realizar la compra cuando nos concentramos en el anuncio: "Cuota mensual desde USD 265" o en el engañoso USD 9 dólares diarios.

Considera que es un análisis al valor presente y no estamos teniendo en cuenta el valor del dinero en el tiempo ni la inflación.

1. Kilómetros anuales andados de 15.000. Carro de 45 Kms/Galón a USD 2.5 el galón de gasolina para un total anual de USD 833.
2. Seguro del carro contra todo riesgo, que depende un poco del tipo de seguro y la calificación o descuento con la aseguradora, está a un precio anual de USD 600.
3. Los impuestos de movilidad son de USD 130 anuales.
4. El seguro obligatorio es de USD 110 anuales.
5. Gastos de matrícula, más gasto de pignoración del carro por el crédito, más gastos del levante de la pignoración, una vez se paga el carro en su totalidad, más los gastos del tramitador. Estos pueden estar en USD 200, durante la vida del crédito. Se paga una parte en la compra y otra a los siete años cuando se termina de pagar el vehículo.
6. Los otros gastos son relativos y dentro de estos están: mantenimientos preventivos cada 5.000, 8.000 o 10.000 kilómetros, según la marca del vehículo. Debes tener un presupuesto anual de USD 200 a USD 400.
7. Parqueaderos durante el día, lavadas periódicas, mantenimientos correctivos, una o dos infracciones que pueden aparecer durante la vida del crédito. El presupuesto anual para este rubro debería ser de USD 250 a USD 350.
8. Pago de parqueaderos diarios, por ejemplo, en las noches o durante el día en el trabajo, pueden ser de USD 50 a USD 70 mensuales.
9. Algún hundido, rayón, choque, robo de accesorios del carro, que el seguro no cubre y deben ser respaldados por tu bolsillo. Para esto no voy a poner un rubro, considerando que de los anteriores gastos puede sobrar algo o puede que no ocurran. Estas eventualidades tienen una probabilidad de no ocurrir, los otros sí son gastos fijos. Pero si se presentan son una pérdida de patrimonio que puede llegar a ser alta.

En resumen, los gastos en siete años son:

Costos adicionales de tener carro, y que el concesionario no quiere que sepas

| | ANUAL | 7 AÑOS |
|---|---|---|
| GASOLINA | $ 833 | $ 5,831 |
| SEGURO TODO RIESGO | $ 600 | $ 4,200 |
| IMPUESTOS MOVILIDAD | $130 | $ 910 |
| SEGURO OBLIGATORIO | $ 110 | $ 770 |
| MANTENIMIENTOS | $ 200 | $ 1,400 |
| PARQUEADEROS E INFRACCIONES | $250 | $1,750 |
| MATRÍCULA | $ 30 | $ 210 |
| TOTAL | $ 2,153 | $ 15,071 |

TABLA 2. COSTO MANTENIMIENTO DE UN VEHÍCULO EN 7 AÑOS

Este valor aproximado de USD 15.071 es inherente a tener un vehículo y el concesionario no quiere que lo sepas. Si lo dividimos en 84 meses, que son los siete años, tenemos USD 180 mensuales de costos adicionales. Si sumamos el valor total del vehículo de la primera parte, más el valor total de la segunda parte en los siete años tenemos: USD 265 + USD 15 + USD 180 = USD 460 mensuales, (Cuota crédito + Seguro de vida Crédito + gastos inherentes al vehículo) o un valor de USD 15.3 diarios, muy lejos de los USD 9 prometidos por el anuncio. Si usamos el anuncio a nuestro favor, tenemos USD 15.3 diarios para movilidad sin tener que comprar carro.

*Anticipar la satisfacción del deseo de tener carro nuevo con dinero prestado es más costoso que posponerla y comprar carro nuevo con dinero ganado.*

No pretendo decir que nunca compres carro, pero es necesario pensar en el costo que te puede representar satisfacer un deseo de manera anticipada a través de un préstamo, porque este es un destructor de patrimonio familiar. Lo ideal es comprar carro cuando tengas el total del capital. Busca invertir y que las inversiones paguen tu carro, que no tengas que madrugar todos los días a trabajar para poder cubrir los gastos de un carro que todos los días se deprecia.

Sumemos los gastos del crédito y los gastos de tener vehículo por siete años, la destrucción total de patrimonio sería:

| | |
|---|---|
| COSTO DEL PRÉSTAMO | $ 23,502 |
| GASTOS DE MANTENIMIENTO | $ 15,071 |
| TOTAL GASTOS | $38,573 |
| VALOR VEHÍCULO A 7 AÑOS | $ 7,200 |

**TABLA 3. COSTO TOTAL DE UN VEHÍCULO EN 7 AÑOS**

Puedes tener razones de peso a la hora de comprar un carro, tales como la necesidad de movilizarte, el costo que implica pagar transporte público para ir al trabajo o a cualquier otro lugar y la comodidad de tener un carro propio para salir de paseo, entre otras. Estoy de acuerdo con todas ellas. El mensaje es ponerle límite a la destrucción del patrimonio, medir tu realidad financiera y así tomar mejores decisiones. ¿Vale la pena vender tu tiempo todos los días para pagar un carro? La decisión está en tus manos.

De USD 38.573 gastados en el carro se recuperan USD 7.200 en los siete años, para una destrucción de patrimonio del 77%, es decir, por cada USD 100 que empleaste en el carro, recuperas USD 23 y le dices chao al resto.

*Ponerle límite a la destrucción del patrimonio, medir tu realidad financiera y así tomar mejores decisiones.*

*Sea sincero y sea consciente de que tiene el poder.*

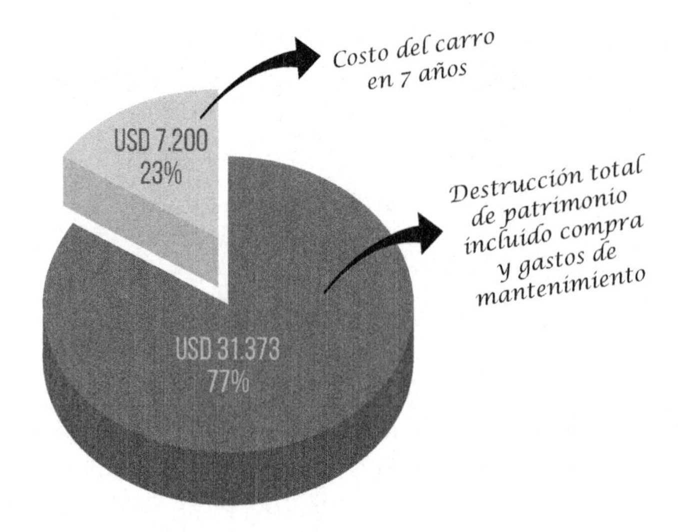


GRÁFICA 3. DESTRUCCIÓN TOTAL DE PATRIMONIO EN 7 AÑOS EN VEHÍCULO

Las recomendaciones son: ahorrar, realizar una inversión en propiedad raíz y que las rentas de esta inversión cubran la compra del carro. Es muy diferente pagar un vehículo con ingreso activo que pagarlo con ingreso pasivo. Recuerda que ingreso activo es aquel por el cual debes vender tu tiempo e ingreso pasivo es aquel que llega a tu cuenta bancaria y no tienes que trabajar 8 o más horas para obtener el dinero; el ingreso pasivo trabaja 7 días a la semana por 24 horas al día para ti, como las rentas de bienes raíces.

Si ya compraste el carro y lo estás pagando, entonces paga lo menos posible de intereses al banco, por favor, remítete a la sección No 6: "Estrategias para pagar menos y más rápido las deudas" donde el comportamiento del préstamo de vehículo es similar y llévalo a la práctica.

A veces el universo nos dispone como mensajeros para algunas personas:

*En una ocasión en un centro comercial me encontré con una amiga que no veía hacía tiempo, después de una amena charla, me pidió consejo para comprar un carro, ella contaba con el dinero, se había separado y tenía USD 100.000. Su proyecto era comprar un carro e invertir el resto. Le realicé las cuentas para validar cómo destruiría parte de su patrimonio, y le dije que lo mejor era invertir los USD 100.000 y del flujo de efectivo de esa inversión, pagaría su carro. Le presté toda la asesoría, aplazó durante un año la realización de su deseo de tener carro nuevo; realizó una inversión en propiedad raíz, luego compró su carro y seis años después tenía una propiedad de USD 160.000 y un carro que lo pagó la inversión.*

*Actualmente tiene un flujo de efectivo mensual del orden de USD 900. Estas pequeñas decisiones son las que permiten crear patrimonio. Hoy mi amiga vive agradecida por aquel buen consejo y yo gustoso de que me hubiera escuchado.*

Tener carro cero kilómetros es muy bueno, pero hazlo con dinero ganado o logra que tus inversiones lo paguen.

El seguro del carro debe garantizar en caso de siniestro el reembolso total del valor del vehículo, pero este es un bien que se deprecia o pierde valor en el tiempo. Para este ejercicio, el precio de este carro para la aseguradora, posiblemente, seis meses después sea de USD 14.500. Si el carro tiene un siniestro de pérdida total, la aseguradora responde por USD 14.500 dólares y no por los USD 15.000 que pagaste por comprarlo. En algunos países puedes actualizar el seguro de tu vehículo cada seis meses y podrás tener una devolución de la prima del seguro.

Si ya estás decidido a comprar un carro con dinero ganado, te doy estas recomendaciones para que no pagues de más o para que te ahorres un dinero:

1. Ten a la mano dos o tres referencias de carros comparables en el mercado.
2. Evalúa la posibilidad de comprar un carro usado no más de dos años y bajo recorrido. Ten presente que 18.000 kilómetros de recorrido equivalen aproximadamente un año de funcionamiento del vehículo.
3. Si vas al concesionario, pide los costos de los mantenimientos de los primeros 50.000 o 100.000 kilómetros de las diferentes marcas que te interesa comparar, puedes notar grandes diferencias. He visto carros muy económicos, pero con unos precios de

mantenimiento del 200% y 300% superiores al mercado, y como el carro está en garantía, se deben pagar esos absurdos valores para no perderla.

4. Cotiza el seguro todo riesgo de cada uno de los carros de tu preferencia a comparar. He notado que en carros con similares precios y condiciones, el seguro puede tener un 30% de diferencia. Las aseguradoras castigan con precio más alto a algunas marcas, dado que sus precios de repuestos son muy elevados.
5. En el concesionario pide descuento, pide accesorios y pide más. PIDE Y SE TE DARÁ dice nuestra sagrada biblia, así que pide más.
6. Muestra en los concesionarios los precios de los otros vehículos y muestra lo que te ofrecen, siempre vas a poder obtener algo más.
7. Leyenda urbana: las ventas de vehículos las miden cada mes, por lo que el final de mes es el mejor momento para cerrar un negocio con un concesionario, dado que están presionados con las ventas. Sí esperas a final de mes, podrás obtener un precio más bajo o mayores beneficios.
8. Compra el carro al final del mes, pero regístralo al inicio del siguiente mes, Como debes pagar impuestos y estos se liquidan por mes, te puedes ahorrar el equivalente a un mes de impuestos por esperar el registro al 1 o 2 del mes siguiente.
9. Debes verificar los costos adicionales que te cobra el concesionario, me he ahorrado algunos dólares al verificar estas cuentas y al realizar algún trámite personalmente.
10. Si ya pasante la garantía del carro, puedes tener un taller de confianza donde realices los mantenimientos. Las diferencias entre el concesionario y los talleres para los mantenimientos periódicos puedes tener diferencias importantes. Ten presente que un mecánico bueno con experiencia no trabaja para un concesionario tiene su propio taller y de seguro los hay buenos y honestos con taller. Mira a los mecánicos de los concesionarios, notaras que son regularmente personas jóvenes.

## No prestes dinero, no eres banco

¿Quién no ha requerido un préstamo de dinero ante una urgencia? ¿Quién no ha solicitado un fiador como garantía para tomar un inmueble en alquiler o tramitar un crédito en una entidad bancaria?

En nuestra vida cotidiana es muy común la solicitud de préstamos de dinero entre familiares, amigos o conocidos. Alguna vez hemos pasado por situaciones como estas o sabemos de alguien a quien le tocó pagar una deuda que no era suya, perdió una amistad por un dinero prestado o le embargaron una propiedad por ser el fiador de un amigo o familiar. Esto es pan de cada día y para no caer en estas situaciones debemos prepararnos, porque no podemos iniciar un camino hacia la prosperidad y libertad financiera, si permitimos que otro se lleve nuestro esfuerzo y dinero.

Hay muchas personas que viven del "tumbis", término que se refiere a la acción de arrebatar o quitar, en palabras mayores puede significar estafa o robo cuando se habla de altas sumas de dinero. En muchos casos estas personas no son malas, y tienen toda la intención de pago, pero su realidad personal a nivel familiar y económico no les permite cumplir con las obligaciones adquiridas; algunos de ellos cuentan con empleos bien remunerados, sin embargo, el dinero no les alcanza y viven de préstamo en préstamo. Se caracterizan por ser muy amables y sociables, cambian con frecuencia de empleo, vivienda, barrio y círculo social, van dejando una serie de deudas y personas "tumbadas" por donde pasan. ¡Que no se enteren que te llegó un dinero extra! porque ese día, serán tus mejores amigos y estarán detrás de ti como buitres al acecho de un animal moribundo.

Si nos entrenamos para administrar nuestro dinero, igual debemos prepararnos para afrontar a este tipo de personas y no permitir que se conviertan en una causa importante de pérdida de nuestro patrimonio. No tenemos por qué patrocinar el desorden financiero de los demás

Recomendaciones cuando te piden dinero prestado:

- Identifica la clase de persona que te solicita el préstamo. Cuando las personas son incumplidas con sus pagos y son de la familia, seguro ya han dejado un historial de deudas y su fama ha corrido como pólvora, deben estar más que identificados, sin embargo, es bueno hacer las preguntas de rigor ya que es tu dinero y tienes el derecho a evaluar el riesgo como lo hace un banco. Mientras tengas el dinero en tu bolsillo tienes el poder, una vez sale y es prestado, el poder lo tiene el otro.
- Siempre indaga para qué es el préstamo. Si es para gastos o para aprovechar esa promoción única, que nunca más volverá o para un viaje de placer ¡No Prestes!
- Pregunta por las calificaciones financieras: si tiene buenas notas. Puede que solo esté pasando por un mal momento financiero del que nadie está libre y ser una persona digna del préstamo, pero si no tiene ningún patrimonio en la vida, es una persona que no sabe manejar el dinero, por lo tanto, No Prestes, está cosechando lo que sembró en la administración del dinero.
- Si es una persona que acabas de conocer o conociste hace mucho tiempo sin frecuentarla, o un compañero de trabajo, la primera pregunta que debes hacerte es: ¿por qué su círculo de amigos más cercano no le presta?, ¿será que ya agotó ese camino y tiene las puertas cerradas por mala paga?

- Pide referencias, llama a los amigos y familiares mutuos, seguro te podrán indicar la madurez financiera que tiene. Así te diga: "No le digas a nadie", tendrás que hacer tus averiguaciones.

Estas personas son expertas en pedir prestado y siempre tienen un discurso convincente, algunos de los libretos son así:

- Es solo por dos semanas mientras me llega otro dinero y te pago.
- Yo te pago un interés alto.
- La calamidad es urgente y casi de vida o muerte.
- Hazme ese favor, ayúdame por favor, hoy por mí, mañana por ti.
- Dios es muy grande y él me va a ayudar.
- Eres la única persona que me puede ayudar.
- Me quedaron de dar un dinero y no llegó y tengo un compromiso urgente.
- Es solo hasta el treinta que llega el salario o me pagan una deuda.
- Yo sé que sí tienes para prestarme, confío en ti.
- Presta en el banco y me lo prestas a mí, es que estoy sobregirado, yo le pago la cuota.
- Siempre terminan diciendo: "Hazme ese gran favor, pero no le digas a nadie... usted entiende, ¿verdad?"

Podemos mencionar muchas más calamidades que se pueden llegar a inventar con el fin de lograr que accedamos a prestar dinero, graves enfermedades y amenazas de muerte, incluso, buscan hacernos sentir culpables si sucede algo con sus vidas, de este modo, nos crean cargos de conciencia que no son nuestros. El único responsable del desorden financiero es la misma persona, no debemos cargar con nada de eso, lo más seguro es que si le dices: NO TE PRESTO, desaparezca de tu vida y te libras de esa mala energía.

***Mientras el dinero esté en tu bolsillo tienes el poder.***

¿Qué debo decir para negarme a prestar dinero?

La primera recomendación es ser muy sincero y ser consciente de que tienes el poder. Eres el único que conoce tu capacidad de préstamo, la otra persona no tiene realmente la certeza acerca de si tienes o no dinero disponible, con lágrimas y pañuelo en la mano di: NO TENGO.

Si son como encantadores de serpientes y, aun así, persisten porque son expertos en manipulación, algunos salvavidas que te pueden ayudar son:

- Me encantaría prestarte, eres una persona muy trabajadora y lamento lo que te está pasando, pero no tengo cómo ayudarte.
- Pregúntale siempre: ¿Qué pasa si no pagas? ¿Qué pasa si no tengo para prestarte?
- Mi pareja es quien maneja todo y no puedo disponer de nada.
- En mi trabajo tengo una cláusula firmada que si llega un embargo a mi salario me echan, no puedo tomar ese riesgo.
- En la iglesia a la que asisto no me permiten prestar ni ser fiador.
- Estoy reportado en las centrales de riesgo, por lo tanto, no sirvo como fiador.
- Mis bienes están en sociedad conyugal y no puedo disponer de ellos.

- Me llegó un dinero, pero lo tenía comprometido y ya lo entregué.
- Sabes que tengo deudas fuertes, yo sé que me pagarás el próximo fin de semana, eres muy responsable, pero no puedo ayudarte. ¡No Tengo!
- Estoy tramitando un crédito y no puedo ser fiador porque esa información aparece en las centrales de riesgo y me baja la calificación.
- Fíjate que hace un tiempo fui fiador, presté y me tocó pagar la deuda, por lo tanto, prometí nunca más fiar o prestar dinero a nadie.
- La verdad, acabo de realizar una inversión y estoy un poco alcanzado, no tengo como colaborarte.
- El dinero que tengo ahorrado es para la educación de mis hijos y eso es sagrado, no lo puedo tocar.
- El dinero lo tengo en un fondo de inversión y no puedo disponer de él hasta dentro de un año o cinco o solo hasta que cumpla 65 años y tengo 37.

La última recomendación, en la que reconozco que voy a pecar por presuntuoso, pero mi única intención es ayudarte:

- Te estimo mucho, me da pena verte en esta difícil situación y no poder ayudarte, pero intuyo que algo no estás haciendo bien porque deberías tener un ahorro de reserva para imprevistos, por eso te voy a recomendar un libro que me ha ayudado mucho, es más te lo voy a regalar, su título es " **Dinero, Felicidad, Tiempo Libre**".

Regalar éste u otro libro similar, de un valor entre USD 10 a USD 15 te puede librar de un dolor de cabeza a futuro.

Acostumbraba a tener en mi oficina y en el carro algunos ejemplares de libros de finanzas para personas que requieren por diferentes razones este apoyo. Al final no importa si lo leen, mi conciencia queda tranquila y feliz porque en realidad ayudé a alguien, ya es su decisión aceptar el apoyo, leer el libro y ponerlo en práctica.

*Eres amo y dueño del dinero en tu bolsillo, eres esclavo de quien te debe dinero. Sé amo y dueño, mantén el poder.*

## Casa de recreo

Una segunda casa de recreo en clima frío o caliente, cerca o no de la playa, es percibida como la propiedad de una persona adinerada; y sí, realmente se debe ser rico para darse esta clase de lujos, a menos que estés gastando en tu vida productiva el dinero de tu vejez. Esto es otro pecado en nuestra vida financiera, a pesar de que se tengan unos ingresos altos, una casa como esta debe considerarse un gasto dentro de nuestro patrimonio.

Si se tiene este tipo de propiedad, sus gastos deben ser cubiertos por ingresos pasivos, de no ser así, nos estamos gastando parte de nuestro ingreso activo y, por tanto, vamos a necesitar levantarnos todos los días en función de vender nuestro tiempo y conocimiento. Déjame decirte que estás destruyendo tu patrimonio y, además, se vuelve la segunda casa de familiares y amigos. Esta no produce una renta, pero debes cubrir servicios de agua, energía, mantenimiento, dotarla de una cantidad de cosas de entretenimiento, hasta donde tu bolsillo o tu ego financiero lo permitan: piscina, mesas de billar, sauna, turco, jacuzzi, cancha de tenis, cancha de fútbol, caballos, sala de cine, entre otra cantidad de juguetes, que hacen que el dinero se esfume.

Si es tu sueño y es lo que más deseas en la vida, adelante, ten tu segunda casa, pero antes realiza inversiones, que generen los recursos para sufragar cada uno de los gastos que ocasiona este tipo de comodidad.

Las personas ricas o con alto poder adquisitivo se inventaron los clubes, sitios con todas las comodidades para sus ratos de ocio y esparcimiento, donde comparten con otras personas de su mismo estrato social y créanme: les sale mucho más económico, por razones como:

- No aumentan su patrimonio para pagar más impuestos.
- Las cuotas mensuales de sostenimiento son descontables de impuestos.
- No se ven en la obligación de invitar a alguien cada semana.
- En el club cada quien paga lo suyo.
- Se reúnen con sus amigos a hablar y hacer negocios.
- Tienen todas las comodidades y personas encargadas de atenderlos, no tienen que atender a nadie.
- No se preocupan por empleados, pagos de servicios, mantenimiento, víveres semanales o mensuales, entre otros.
- En lugares como estos, solo hay que pensar en ¡Disfrutar!

Otra opción que puedes considerar es aprovechar las ofertas y alquilar una propiedad de estas, cumplir parcialmente tu deseo y en el camino ir evaluando las implicaciones que se tienen a nivel emocional y financiero, a futuro, esto te permitirá tomar una mejor decisión a la hora de comprar o no una casa de recreo, la experiencia te dirá si es buena idea invertir una gran cantidad de dinero en un bien como este.

*Un amigo tiene una segunda casa de recreo hace muchos años. Ese ha sido su sitio de destino todos los viernes. Cada fin de semana son bienvenidos los familiares, amigos y conocidos. En algunas oportunidades disfruté de ese espacio y mi amigo se esmeró en atenciones, es un excelente anfitrión, su frase favorita: "Me encanta que me visiten, me encanta atender a las personas".*

*Hace unos meses me enteré de que mi amigo está con quebrantos de salud, ya va superando los 65 años, me sorprendió conocer la precaria atención en salud que había recibido, le pregunté por qué no acudió a su medicina prepagada para un mejor servicio, la respuesta fue: "No tengo un plan complementario de salud, nunca tuve uno". Entonces, le hablé de su pensión, la respuesta fue: "No coticé para pensión". Quedé impactado con esas noticias, dado que en el círculo de su familia y amigos lo considerábamos una persona rica y ahora me enteraba de que mi amigo vivió para mantener una segunda casa, pasando por alto algo tan importante como la atención en salud y ni qué decir de su descuido, al no cotizar para una pensión.*

*Es lamentable esta situación, que es la de muchos. Quiero ver ahora a todos aquellos que fuimos varios fines de semana a disfrutar de esos momentos de esparcimiento, hacer una colecta para ayudar a nuestro amigo. A su edad, no gozará de una pensión, por lo tanto, está condenado a trabajar el resto de su vida, si es que su salud se lo permite.*

***Inteligente es el que aprende de sus propios errores, sabio el que aprende de los errores de los demás. Sé sabio.***

## Viajes o vacaciones de placer con préstamo

Gastarse el dinero que aún no se ha ganado, empeñar el futuro de varios meses o años por una o un par de semanas ¿será que es esencial? Para las finanzas familiares uno de los peores negocios es anticipar los deseos con dinero prestado, siempre es más costoso que pagarlos con dinero ganado. La comprensión del movimiento del dinero hace que estas decisiones sean más fáciles de tomar. Cuando sales de vacaciones sin el dinero suficiente, la vida te está gritando que aún no te las mereces, que trabajes más, que tengas efectivo disponible para darte ese merecido descanso. No puede ser que tengas una semana de felicidad por treinta y seis meses de triste recuerdo pagando las cuotas. Un error típico de las personas es usar la tarjeta de crédito para salir de viaje, cuando esta tiene los intereses más altos del mercado y terminas pagando el viaje hasta dos veces.

Las vacaciones las tomas con dinero ahorrado, con efectivo ganado. Salir de vacaciones con un préstamo es un duro golpe al patrimonio familiar.

*Si no tienes el efectivo para pagarlo, el universo te está gritando: ¡No te lo mereces aún!*

## Actualizar la tecnología frecuentemente

Al igual que comprar un carro, la compra de tecnología con dinero prestado es uno de los grandes destructores de patrimonio. La tecnología todos los días disminuye su valor, por lo tanto, comprarla debe ser bajo estas premisas:

- Tener el dinero en efectivo.
- Comprar en promoción.
- En lo posible la versión más reciente.
- Buscar en varias tiendas y en la Internet.
- Usar descuentos con la tarjeta de crédito.
- Comparar varios sitios.

La tecnología es un bien que se deprecia o pierde valor cada día, así que no resulta beneficioso comprarla con dinero prestado, ya que perdemos a doble velocidad, por un lado, el bien pierde valor y, por el otro, al pagar intereses su precio es más alto. Este es un gusto que si lo hacemos de manera frecuente afecta el patrimonio familiar, el consumismo capitalista nos induce a cambiar la tecnología cada año, está en tus metas financieras tomar las decisiones adecuadas, proteger tu dinero y tu futuro.

## Remodelaciones en vivienda con hipoteca

Una de las mejores inversiones, a pesar de que no produce dinero, pero sí da estabilidad y crea patrimonio, es la compra de vivienda. Debes tener claro que la hipoteca sobre la vivienda permite construir un patrimonio, pero este será el mayor generador de gastos al tener que pagar todos los requerimientos esenciales para tener una vida cómoda.

Muchas personas adquieren una hipoteca para la compra de su vivienda y dedican parte de sus ingresos para hacerle remodelaciones, aunque todavía sea del banco. Mi recomendación es que no hagas ninguna hasta que la termines de pagar, hasta que sea realmente tuya, mientras tengas hipoteca y estés pagando, aún es del banco.

Si verificas el capítulo "Crédito hipotecario, negocio tuyo y no del banco" y analizas el método de amortización para vivienda que es el *francés,* podrás apreciar que en lugar de hacer remodelaciones abonas a capital y te ahorras una buena cantidad de intereses, que es dinero que se queda en tu bolsillo. Aplazas el deseo de la remodelación y luego la puedes hacer en mejores condiciones financieras.

Cuando se decide hacer una intervención al baño, la cocina, el piso, una habitación extra, entre otras, se tiene un presupuesto y se procede, sin embargo, aparece la idea de "YA QUE...", que aumenta el presupuesto y el valor de la reforma: "Ya que tumbaron el muro hagamos esto...", "ya que cambiaron el baño hagamos esto...", "Ya que pintó ese lado, pintemos todo...". No pensemos que se destruye patrimonio en su totalidad, pero estamos asignando dinero a una propiedad que aún no es nuestra, anticipando un deseo que, si lo aplazamos, es posible destinar dinero al capital de la deuda y ahorrar en intereses. Recomiendo pagar primero la casa y con el flujo de cuota, una vez pagada, hacemos las reformas.

Nos entusiasmamos comprando cosas para decorar la casa que aún le estamos pagando al banco; equipos de entretenimiento, cuadros, porcelanas, muebles, una cantidad de cosas que en realidad no son la prioridad y que podrían esperar un tiempo más. Es primordial concentrarse en pagar la hipoteca lo antes posible para liberar flujo de efectivo mensual y con este dinero si compras cosas para la decoración.

> *Hábito de rico es pagar los gustos, antojos y deseos con dinero ganado; hábito de pobre, anticipar la satisfacción de un deseo con crédito.*

## Gastos hormiga

Estos gastos diarios en cosas de menor cuantía se convierten en un gran destructor de patrimonio. Empecemos con una bebida de café en la mañana, con un valor de USD 2, al año podría sumar un valor aproximado de USD 700, por lo que tener un termo o comprar una cafetera para la oficina o la casa sería de gran ahorro. El café es solo un ejemplo, pero dentro de esos gastos de bajo valor hay una gran cantidad y mucho dinero que te puedes ahorrar, no en vano en todos los sitios de pago al lado de las cajas, siempre hay una cantidad de cosas de bajo valor para que las personas se antojen y gasten esas monedas que sobran.

No es el hecho de comprar un café el que impactará tus finanzas, es el hábito lo que se convierte en un monto significativo. Al tratarse de gastos de valor pequeño, tu cerebro no hace énfasis en ellos y pasan por nuestra mente inadvertidos, sumando y sumando para convertirse luego en un valor importante.

Realiza las cuentas de las compras de bajo valor como un café, una caja de chicles, las medias comidas en la mañana y en la tarde, el cigarrillo, el dulce, la botella de agua, bebidas diarias, postre de la tarde o después del almuerzo, el almuerzo todos los días en el trabajo, la lotería diaria o semanal y suma otras compras que realices: ¿cuánto dinero hay allí?

Bajo tu realidad financiera debes armar una estrategia frente a estos "pequeños" gastos. Sin caer en la tacañería y la miseria, las recomendaciones no son para que vivas arrastrado y lleno de sacrificios, el dinero es un medio para adquirir un bien, pero no es el fin de nuestra existencia, el fin debe estar orientado a disfrutar la vida, a gozarla, a ser feliz. Debes verificar tus hábitos diarios de consumo y si tienes el compromiso de salir de deudas es hora de ahorrar en lo pequeño, no se trata de vivir "llevados" y que nos privemos de tomar un rico café, la idea es cambiar los hábitos de consumo por hábitos de ahorro, tarde o temprano verás las recompensas.

Estos gastos hormiga son un flujo de caja recurrente que lo podemos convertir en ahorro. Evalúa por ejemplo si caminar te conviene más que tomar un bus o un taxi. Es contradictorio, muchas veces nos da pereza caminar cuando estamos a menos de tres kilómetros de nuestro sitio de destino, pero pagamos USD 1.000 al año por un gimnasio. Desde la casa lleva el almuerzo y los refrigerios para el día de trabajo, compra en el mercado los dulces y demás antojos para tener en el carro o en tu bolso, son maneras fáciles de ahorrar.

Un pensamiento pobre es adquirir cosas a crédito pensando solo en la cuota baja, así mismo, compramos cosas de bajo valor que no aportan a nuestra vida.

*Cambiar hábitos de consumo por hábitos de ahorro, te traerá grandes beneficios financieros.*

## ¡La publicidad quiere tu dinero!

Detrás de la publicidad hay una cantidad importante de profesionales que se han preparado por varios años: psicólogos, sociólogos, antropólogos, publicistas, fotógrafos, decoradores, camarógrafos, economistas, editores, actores, diseñadores, entre otros; además de una cantidad importante de estudios encaminados a conocerte y persuadirte para comprar, cuya única misión es:

*CREAR UNA NECESIDAD INEXISTENTE Y HACER QUE GASTES TU DINERO EN COSAS NO ESENCIALES.*

El objetivo de una buena campaña publicitaria es enviarle mensajes a tu cerebro y casi de manera inconsciente te van creando una necesidad, te convierten en consumidor. Es muy fácil la ecuación: ellos se preparan por años para su objetivo de sacar el dinero de tu bolsillo y si tú no te entrenas financieramente para administrarlo de manera adecuada, te aseguro que pierdes, porque siempre va a ganar la educación contra la ignorancia. Por eso te invito, de nuevo, a prepararte para que ganes en la vida capitalista del consumismo.

Haz un recuento de cuántas veces has comprado un producto que no requieres por las cualidades de un buen vendedor o de un buen anuncio. Cuánto dinero ha salido de tu bolsillo por servicios o elementos que no llegaste a usar o solo les diste un uso de unos días; estas pequeñas decisiones hacen que parte de tu riqueza se extravíe en el tiempo y el dinero que puede ir a inversión o pagos de créditos se pierda en la selva de gastos. Unas finanzas maduras y férreas harán que recuperes una senda de abundancia.

Al llegar a nuestra cama después de un arduo día, se estima que una persona promedio puede ver más de 3.000 publicidades de diferente tipo, perfectamente diseñadas para convencerte de gastar tu dinero. A ninguna de estas publicidades les importa tu estado financiero, por eso ningún vendedor te pregunta si tienes con que comprar su producto o servicio, si vas a quedar endeudado o si tiene el suficiente valor para ti, lo único importante para ellos es que compres.

***La publicidad está diseñada para sacarte el dinero de tu bolsillo, la decisión la tienes tú.***

Para enfrentarte a la publicidad y a unos buenos vendedores, ten presente estas recomendaciones:

- Nosotros tenemos el dinero y, por lo tanto, tenemos el poder de decidir. Nunca permitas que el vendedor tome la decisión de compra.
- Analiza la publicidad y, sobre todo sus engaños, la publicidad siempre oculta información importante.
- Pregúntate si el bien o servicio está alineado con tus objetivos de vida.
- Recuerda que puedes ahorrar el 100% de lo que dejas de comprar.
- Analiza si el bien o servicio es un capricho o es una necesidad.
- Compra siempre con dinero ganado, no empeñes tu futuro por cosas que no requieres en el presente.
- Coloca un mensaje en tu billetera, cartera, en la tarjeta de crédito/débito, usa un llavero, una manilla especial, etc., que te recuerde tu compromiso con las compras superfluas y con mejorar tu vida financiera.
- La publicidad le vende al subconsciente, prepáralo para que no lo dejes engañar.
- El ego es uno de los grandes destructores de patrimonio familiar, conócelo, contrólalo, domínalo.

Recuerda también que en el tema publicitario y de marketing, existen muchos trucos que te engañan en el momento de la compra como:

- Los precios terminan en 99: este truco es muy usado y es un engaño a nuestro cerebro, cuando te digo que cuesta USD 199, tu cerebro toma el 1 de ciento y aproxima hacia abajo, pero la realidad es que el precio es aproximado a USD 200.
- Al comparar productos en el supermercado, en muchas ocasiones, compramos el más económico sin verificar cantidades. El precio más económico tiene menos cantidad, por lo tanto, es costoso. Si divides el valor por la cantidad de producto, puedes encontrar cuál es realmente más económico y bueno.
- Muchos productos tienen un empaque excelente, pero la cantidad es poca o no tienen la calidad suficiente, las personas somos muy visuales y los expertos en marketing saben eso y dicen: "Si no es un buen producto, hazle un buen empaque".
- Los profesionales del marketing estudian nuestras emociones y comportamientos, por lo tanto, nos presentan productos en escenas de modelos y actores sonrientes, que nuestro cerebro traduce en felicidad y nos impulsa a comprar.
- Cuando un producto no se vende bien, un truco que siempre funciona es ponerlo al lado de otro producto similar, pero más costoso. Así las personas compran el más económico, llevando un producto de mala calidad o que no requieren.
- Método señuelo: es poner un producto de referencia muy económico, casi debajo del precio de mercado, pero el resto de los productos con valores inflados. Así vamos por el producto económico, pero, como siempre compramos más cosas, salimos pagando un valor más alto del promedio.
- Comprar cosas con descuentos o promoción del 50%, 60% y hasta del 70% que no requerimos, por la emoción que impulsa a ahorrarnos un dinero, es destruir patrimonio. Si no lo requieres, regalado es caro.

La publicidad nos lleva a destruir patrimonio. Es necesario analizarla con ojos de experto, estar atentos, como si alguien quisiera llevarse a hurtadillas nuestro dinero. ¡Prepárate a vencerla!

## Si te comparas, pierdes la autoestima financiera

No creas que eres el único que desea impresionar a sus amigos y robar las miradas de las personas, la verdad es que recibir una felicitación o admiración es muy bueno y se siente un fresquito interior muy chévere. Muchas personas van por la vida comprando admiración, eso es lo que hacen cuando adquieren la ropa de marca con el logo grande para que lo vean todos alrededor, este detalle incrementa su ego, les provoca esa misma sensación de la modelo que sonríe cuando promociona esta marca y hace que el cerebro segregue endorfina, dopamina, serotonina y oxitocina, llamados el cuarteto de la felicidad, generando una sensación de satisfacción momentánea.

Si no se controla este hábito y se hace consciente, el cerebro entra en ese círculo vicioso de comprar más cosas para impresionar y continuar generando esa sensación de satisfacción. El cerebro no se concentra en la angustia y estrés que puede llegar a ocasionar el pago mensual de esas deudas; el subconsciente juega con nuestros deseos y va a buscar el camino más corto para el goce inmediato, pero la responsabilidad de nuestro YO interno es hacer que la satisfacción se presente cuando salgas de deudas, cuando tengas inversiones que paguen tus deseos. Con una meta financiera clara, tu razón te ayudará a lograrlo.

*Gastamos nuestro dinero en cosas que no requerimos para impresionar a quien no le importa.*

Si tienes un compromiso contigo y con tu familia para una vida financieramente libre, debes ser consciente de que no vives para los demás, vives para ser feliz y para tu familia, por lo tanto, tienes que cambiar tus hábitos de consumo y proyectarte hacia la inversión.

## Compromisos mensuales de bajo costo

El banco te valora por la capacidad de producir dinero mensual y la mejor carta de presentación para un préstamo es el flujo de efectivo, de este depende que te otorgue un crédito en mejores condiciones.

Los compromisos mensuales van en contra de tu flujo de efectivo, soy enemigo de adquirirlos porque bajan mi disponibilidad de dinero en ese periodo. Tenemos muchos pagos mensuales que son necesarios como energía, agua, gas, comunicaciones, renta de vivienda, educación, hipoteca, deudas, tarjeta de crédito, entre otros. Pero hay otros pagos que no son tan necesarios y los adquirimos porque su valor es bajo, como suscripciones de TV, revistas, prensa, música, asesorías, seguros, microseguros, apps, canales de internet, canales premium de TV, entre otra cantidad.

Si lo que adquieres lo usas de manera continua, entonces, se convierte en necesario y si está dentro de tus objetivos de vida, adelante, págalo. Pero, a veces, los gastos en los que incurrimos se hacen sin pensar, solo porque en ese momento se tiene flujo de efectivo y, en la realidad, no hacemos uso de esos servicios de forma permanente. Así que es el momento de mejorar nuestro flujo de efectivo mensual, evaluando los gastos que realizamos en cosas o servicios que no usamos.

*La mejor carta de presentación para un banco es tu flujo de efectivo mensual, ¡cuídalo!*

Los compromisos mensuales se deben revisar cada seis meses, algunos bajan de precio, por ejemplo: los planes de celular, datos, televisión, seguros de crédito o en ocasiones ofrecen mejores planes a precios similares o la competencia tiene promociones más económicas. Bajar el precio de un servicio o cancelarlo mejora tu flujo mensual de dinero disponible.

## Compras impulsivas o por vergüenza

Hay una gran cantidad de empresas que están trabajando la venta en redes o multinivel, es un esquema en el cual una persona es consumidora del producto y adicionalmente anima a otras a ser consumidoras o distribuidoras al mismo tiempo, de este modo, el primero recibe un beneficio residual por los consumos o ventas del segundo y de manera sucesiva van formando una red piramidal donde los que están arriba ganan más que los que están debajo de la pirámide. Es un modelo que está haciendo millonarios a muchos y esclavos a otros.

Los que están abajo en la pirámide no tienen prestaciones sociales, trabajan por una comisión de venta, deben invertir mucho tiempo y esfuerzo en la comercialización de los productos de precios elevados para poder sostener el sistema. En general son productos que no puedes comparar en el mercado porque tienen pócimas mágicas o la innovación extraterrestre que ningún otro tiene en el mundo, por lo tanto, se debe pagar un alto precio por ellos.

Es común que muchos de nosotros hayamos sido invitados a pertenecer a una red piramidal e incluso trabajemos para algún sistema de estos, donde la venta es personalizada y se acude al voz a voz y a referidos. Cuando llegan a nuestra casa o acudimos al sitio de venta, a veces, nos da pena decir que no y compramos tonterías que no requerimos a precios altísimos. Alguna vez asistí a un sistema de estos y la verdad son unos motivadores excelentes, todos salimos pensando que pronto seríamos millonarios, que el producto es tan mágico que se vende solo. Estos modelos consiguen una serie de empleados a cero pesos, sin prestaciones, seguridad social, ni compromisos laborales.

Hay que tener claro los objetivos de vida financieros y si los productos que te ofrecen no están alineados con estos, no compres, como dice el dicho: “Es mejor colorado un ratico, que pálido el resto de la vida”. En estos multiniveles y modelos de ventas de referidos se podría escapar un monto importante que afecta nuestro patrimonio.

*Una familia cercana a la nuestra, que al parecer nos aprecia bastante, siempre nos tiene en cuenta para recomendarnos cuanta cosa se les ocurre. Nos llamaron para un súper curso de inglés que les estaban ofreciendo, con una metodología única que garantizaba que aprenderíamos inglés en menos de seis meses. Si no lográbamos hablar y dominar el idioma en ese tiempo, seríamos los más tarados del mundo.*

> *Nos reunimos en mi casa, y al hacer el análisis financiero de los exorbitantes números, para mí no fue nada atractivo y no compré. Mis amigos pagaron por el curso unos miles de dólares, el pago se debía hacer por anticipado. Los que comercian estos cursos, saben que aprender inglés implica fuerza de voluntad y la mayoría de las personas no la tenemos y terminamos abandonando el curso, de este modo, se quedan con todo el dinero. Mis amigos asistieron cuatro meses y lo abandonaron sin obtener los resultados esperados. Ese dinero se perdió afectando así su patrimonio familiar.*

Como el anterior ejemplo he recibido una gran cantidad de productos referenciados y no recuerdo haber comprado ninguno, porque el modelo de negocio, el costo beneficio o la alineación con mis objetivos de vida y financieros no me convencieron. Algunos ejemplos de las ofertas que siempre atendí cortésmente son: enciclopedias para niños, ollas eléctricas que hacen de todo, cruceros todo incluido, dispensadores de agua con las piedras energéticas de otro mundo, viajes a Miami y carro, donde me regalaban el crucero, el café mágico que cura todas las enfermedades..., la lista se haría demasiado larga.

No pretendo que permanezcamos herméticos para no comprar nada, algunos de estos elementos o servicios pueden realmente traernos beneficios y dependerá mucho de nuestra realidad financiera y de nuestros objetivos la decisión que tomemos, por ejemplo, si me encanta la culinaria, estas ollas eléctricas podrían ser de mi entera utilidad y satisfacción. Es importante que las compras que realicemos estén alineadas con nuestros propósitos, los debemos tener muy claros, como expresa el dicho: "*Si no sabemos hacia dónde nos dirigimos, todos los vientos son favorables*".

Otra situación muy común se presenta cuando estamos con amigos o familiares compartiendo un viaje o departiendo en un centro comercial o restaurante: terminamos comprando cosas que para nada necesitamos, motivados solo porque otros compraron y "ni modo de que nos quedemos atrás", le damos un cariñito a nuestro ego que nos impulsa a que nos vean adinerados y felices, cuando lo que realmente estamos haciendo es destruir patrimonio.

## Tarjeta de crédito

Una tarjeta de crédito bien manejada es una fuente de ingresos en nuestra vida, pero si la tomamos para financiarnos y comprar a cuotas o usar de manera frecuente el famoso "TARJETAZO", inevitablemente: "Tanto va el cántaro al agua hasta que se rompe". Ese pago mensual, con los intereses más altos del mercado estará deteriorando nuestra economía.

Este ha sido uno de los desastres financieros más comunes de muchas familias y todo se reduce a esa sensación de tener dinero, que es solo una sensación, porque de igual manera se debe pagar. Las personas se fijan solo en la cuota y no en el valor total a pagar, esa sensación de bajo costo y de que "lo puedo pagar" será la tortura financiera más grande que puedes tener. Este es uno de los mejores negocios de los bancos, sus intereses son los más altos.

Los errores más grandes de las personas al usar este medio de pago son:

1. Usar la tarjeta de crédito como una extensión de su salario y tomar su saldo como dinero extra.
2. Pagar todo a cuotas con los intereses más altos del mercado.
3. Por cada compra hacer cuentas solo de la cuota mensual y no del valor total a pagar.
4. Pagar una cuota de manejo que afecta nuestro flujo, use o no use la tarjeta.
5. Tener varias tarjetas de crédito y todas con cuota de manejo.
6. Realizar avances con la tarjeta de crédito, son los intereses más altos.
7. Usar avances de una tarjeta de crédito para pagar otra.
8. Pagar siempre el mínimo de la tarjeta de crédito.
9. Tener la tarjeta y usarla periódicamente para compras impulsivas.
10. Adquirir servicios con débitos automáticos mensuales a 36 o más cuotas.

*Si la tarjeta de crédito no te genera dinero, deshazte de ella.*

Alerta con esta combinación peligrosa: PUBLICIDAD + EGO + TARJETA DE CRÉDITO CON BAJA CUOTA, la publicidad la encuentras en internet, centros comerciales, televisión, periódicos, en todos los escenarios de comunicación posibles y si a esto le sumas tu tarjeta de crédito y un ego desmedido, estarás corriendo grandes riesgos financieros. Para entender mejor, leamos la experiencia de un amigo, que se daba golpes de pecho, cuando ya no había nada que hacer.

*Un amigo, ingeniero de sistemas, salió un día de fin de semana a dar una vueltica al centro comercial y en una tienda de tecnología vio la última supercomputadora de la manzanita con un letrero grande de promoción que decía: "a un precio especial, SOLO POR HOY". Su razonamiento se dividió en dos: por un lado, no requería una computadora nueva, la que tenía aún le era muy útil y, por otro lado, no tenía todo el dinero para comprar la que estaba en oferta. Se quedó unos momentos admirando y comparándola con su computadora actual y cuando estaba a punto de irse vio el mensaje que decía: "Con cuotas desde USD 99".*

*El ego se encargó de recordarle que ese valor mensual podía pagarlo con su tarjeta de crédito y de inmediato la compró y se embarcó en cuotas de pago por tres años, pagando un 60% más del precio que vio en el cartel.*

*No controlar el ego, te lleva a comprar cosas que no requieres con dinero que no tienes.*

## Estar a la moda

"La moda no incomoda", dice la muy conocida frase, pero sí afecta el bolsillo. Estar con las últimas tendencias tiene un precio bastante alto y se requiere de un buen capital para estar cambiando el vestuario. Detrás de la moda están las marcas de alto costo, que no es lo mismo que de alta calidad, las cuales compramos para exhibir a los demás nuestro buen nivel económico, cuando muchas veces no es así y este gustico está relacionado con una baja autoestima. Compramos la marca más cara para darnos valor, cuando lo que llevamos puesto es tan solo un empaque y nosotros somos el producto. Tú eres el que tiene un valor real, no te engañes mostrando lo que no eres, finalmente, tendrás que pagar por lo que consumes y estarás destruyendo el patrimonio que tarde o temprano necesitarás. Detrás de las grandes marcas de alto costo, hay millonarios que se están lucrando de tu debilidad por consumir y de tu baja autoestima.

El controvertido fotógrafo estadounidense de origen judío Spencer Tunick, conocido por fotografiar en las calles de diferentes lugares del mundo a personas desnudas en posiciones artísticas, proyecta en sus fotografías dos aspectos que me interesan: uno es la muestra de las personas al natural, tal como llegamos al mundo y como nos iremos de él, sin nada que cubra los cuerpos más allá de la piel misma. Ahí el dinero no es primordial, la marca de ropa, el reloj, ni la posición social, lo importante es la esencia de lo que realmente somos. Me recuerda el momento de nacer y de morir, llegamos sin nada y nos vamos sin nada. En el paso intermedio por el mundo vamos adquiriendo cosas, persiguiendo el dinero que no llevaremos con nosotros al más allá.

El segundo aspecto que me llama la atención es que cada uno llega en su "envoltura" con ropa y accesorios a la moda cubriendo sus cuerpos. Una vez desnudos no hay diferencia en la forma de su naturaleza, desaparece el estrato social, el dinero, la marca de ropa, su cargo empresarial... su verdadera esencia está en todo aquello que los hace personas, seres humanos pensantes, su cultura, la educación, sus dones y talentos, eso es lo que marca la diferencia entre cada uno en la multitud de personas que son fotografiadas, aspectos que tienen que ver con el SER y no con el TENER.

## Tiempo compartido

Tiempo compartido es un modelo de negocio del sector turístico que un creativo empresario se inventó para que gastes tu dinero. En este, supuestamente, estás ahorrando para las vacaciones, haces el pago adelantado del hospedaje en algún hotel o condominio turístico, te ofrecen un *resort* súper lujoso en el que te venden una semana de estadía y debes pagar una cuota anual de mantenimiento; asistas o no, al final tienes derecho a disfrutarlo una semana al año, que no siempre coincide con tu semana de vacaciones.

La compra de tiempo compartido es otro gran descalabro financiero. Es un excelente negocio para el dueño del complejo turístico, porque vende una propiedad 50 veces o más, es como mantener un hotel ocupado todo el año. No resulta muy atractivo pagar por ir cada año al mismo sitio ¡qué aburrido ir de vacaciones siempre al mismo lugar!, si tienes el buen hábito de ahorrar para vacaciones, son muchos los lugares en el mundo para conocer y cada año puedes elegir un destino diferente y en mejores condiciones.

A estos vendedores los encuentras en sitios turísticos o centros comerciales. Prepárate para decir NO a estos sistemas, te ofrecen grandes premios y la verdad no es que sean muy honestos en sus estrategias de captación de incautos con ignorancia financiera. Protege tu dinero.

***Siempre será mejor ahorrar y conocer diferentes sitios que sistemas de tiempo compartido.***

Tengo una familia amiga a la que le encanta ir comprando cosas que no requiere, les contaré solo algunas de sus magníficas compras en las que ha dejado escapar mucho dinero.

> *Un día me llamaron de un número desconocido; resulta que mis amigos me habían recomendado para un plan de tiempo compartido, debía de estar agradecido por tenerme en cuenta. En la línea el vendedor me dijo que era una oportunidad única de adquirir un plan de este tipo.*
>
> *Como era referencia de mis amigos, que ya habían comprado, tendría un súper descuento, para ello debía asistir con mi esposa a una cita de un par de horas.*

*Llegamos puntuales a la cita de casi cuatro horas, nos ofrecieron un súper plan de vacaciones por una semana al año para toda la familia, todo sonaba bastante bien y se notaba que los vendedores o "encantadores de serpientes", como les llamo, estaban muy bien capacitados en su labor, todo estaba sutilmente dispuesto, cada pregunta estaba libreteada para un "sí" por respuesta.*

*Vas superando niveles y en cada nivel te atiende un vendedor cada vez más estilizado y más conocedor de las estrategias para llevarte al cierre del negocio. La verdad es que se nota una alta preparación para lograr sus objetivos de venta, pero como estoy financieramente educado, realicé algunas cuentas y comparé los gastos en el caso en que no se tuviera dicho plan. Les demostré que era costoso adquirir dicho plan para vacacionar una semana al año. Observé la cara de decepción y angustia del vendedor cuando realicé el análisis financiero con cifras claras. Mis amigos no hicieron este análisis y por eso cayeron en la compra de este tiempo compartido, destruyendo su patrimonio.*

El tiempo compartido es un excelente negocio para el dueño del complejo, pues vende una habitación a 52 familias o más. Si tú deseas ir de vacaciones durante la Semana Santa, debes esperar por lo menos 52 años para poder disfrutarla dos veces en esa época.

Conclusión: no compré dicho plan y no le recomiendo a nadie que lo haga, no es un buen negocio para una familia. Mi amiga lo adquirió, fue una vez con su familia y nunca más volvieron, dejaron de pagar y perdieron mucho dinero.

Un familiar compró uno de esos planes en Aruba. Las dos primeras veces estaba feliz con su familia; en la tercera ya querían conocer algo más, así que me lo ofreció, me pidió que le ayudara a venderlo, y, al final, me lo regaló para que yo pagara la mensualidad, hasta que dejó de pagarlo y chao dinero.

Los tiempos compartidos son grandes destructores de patrimonio, no caigas en esta trampa, si ahorras puedes ir de vacaciones a un lugar diferente cada año y en mejores condiciones.

*Siempre será mejor ahorrar e ir de vacaciones a diferentes partes del mundo, que repetir cada año el mismo sitio en tiempo compartido.*

## Ignorancia financiera

Hay personas expertas en telenovelas, deportes, farándula, cine, que siguen en redes sociales a famosos y saben múltiples detalles de estos. En cuestiones de deportistas, actores, artistas, saben minucias que no aportan nada a sus vidas, pero que sí los están llevando por la senda del consumo y a generar más ingresos para estos famosos, ya que tienden a imitar sus comportamientos, vestuarios y hábitos de consumo. Dedican horas semanales a estos destructores de patrimonio y, por el contrario, no tienen idea hacia dónde va su dinero, se creen la historia de rico y famoso y desean imitar a quienes realmente tienen dinero, mientras ellos deben madrugar todos los días a producir.

Administrar correctamente el dinero ganado para beneficio de la familia es sencillo, pero se requiere del empujón del aliciente, de la energía apropiada para romper la inercia del analfabetismo financiero, se requiere del COMPROMISO contigo, con tu familia, con tu futuro y tu vejez. Seguro tendrás mejores beneficios cuidando el dinero ganado, así que capacítate para administrarlo.

En este libro te doy muchos consejos para ahorrar con los bancos, pagar menos intereses, generar fuentes de ingresos diferentes al trabajo, apalancarte con los bancos, pagar deudas, registrar el flujo de efectivo, entre otros. Empieza ya con tu propósito para liberarte de vender tu tiempo por dinero y hacer lo que más te guste. Recuerda: no se trata de ser rico, se trata de vivir dignamente y ser feliz.

*Cuando era niño, unos amigos de mis padres, a quienes llamábamos los ricos Bustamante, sobresalían por su excesivo gasto, estoy hablando de casi 35 años atrás. Antes de ir a visitarlos mis padres daban su respectivo sermón sobre el buen comportamiento; su casa era un tormento para un niño que desea correr por todo lado y debe estar agarrado de la mano de sus padres porque había cosas por doquier: el vitral, el cuadro, la porcelana, el jarrón, una cantidad de cachivaches que no había espacio en aquella casa por donde caminar cómodamente.*

*Sus hijos tenían en sus cuartos cuanto juguete existía, gozaban de vacaciones cada año y daban regalos a todos los amigos y familiares. Esto fue así por unos 12 a 15 años. Pero, la vida pasa la factura, los Bustamante vivían de apariencias, se acabaron los viajes, los regalos, las cosas empezaron a desaparecer de aquella gran casa. Se gastaron el dinero en los momentos de mayor productividad y vivieron como si nunca llegasen a su vejez, vivieron como ricos y no vieron las señales de pobre.*

*Al iniciar mi primer trabajo, después de salir de la universidad, fui invitado a una colecta de ayuda familiar para los Bustamante. Hoy están recogiendo lo que sembraron. Yo siempre pregunto por la pensión de las personas, porque es de gran importancia tener un ingreso en nuestra vejez, pues la familia Bustamante está condenada a trabajar el resto de su vida, ya que ni el señor ni la señora cotizaron lo suficiente, les tocará a los hijos mantenerlos y a ellos vivir de arrimados.*

Así, como los Bustamante, hay muchas personas que se gastan su dinero en cosas que no requieren o compran aceptación, destruyendo su patrimonio y poniendo en peligro la estabilidad económica de su vejez. Seguro los Bustamante con unos pequeños conocimientos financieros, hubieran tomado mejores decisiones en los momentos de prosperidad.

## Comprar a cuotas

Un pensamiento de pobre fuertemente arraigado es la compra de cosas a cuotas, en la que tomamos decisiones sin pensar en el valor total a pagar, sino en el bajo valor de la cuota a largo plazo. El comercio en general es experto en ofrecer el pago a crédito, con claridad acerca de que son muchas las personas que optan por este modelo de compra sin tener en cuenta el alto costo del producto al final del pago total, incluso, puedes llegar a pagar dos o más veces el valor inicial del producto si lo comparas con una cuota de contado. Se hace necesario realizar un análisis en el momento de la compra y totalizar el valor según el número de cuotas para no destruir patrimonio. Las cuentas son fáciles:

- Multiplica el valor de la cuota por el número de cuotas.
- Compara ese valor con el precio real del producto a comprar.
- Compara en otros establecimientos, dado que el mismo lugar tiene una estrategia comercial de: "Precios altos, baja cuota" para que la comparación del valor total genere la apariencia de unos intereses bajos.
- Si puedes aplazar la compra, ahorra y compra luego de contado o en una promoción. Te ahorrarás un dinero que no va a ir al bolsillo de un rico, se queda en el tuyo.

Si es estrictamente necesario comprar a cuotas, ten en cuenta esto:

- Compra haciendo cuentas del pago total por el producto, no de la cuota baja.
- Garantiza que puedas abonar a capital en cualquier momento.
- Ten por lo menos tres valores de productos similares en diferentes comercios.

## Promociones y descuentos

En los comercios hay cientos de productos que no alcanzan el nivel de ventas proyectado y quedan muchos en existencia, para estos el comercio se inventó las promociones para salir del almacenaje en sus bodegas. Los Black Friday, los OUTLET, entre una cantidad de supuestas oportunidades, están perfectamente programadas para sacar el dinero de tu bolsillo y tienen en cuenta una serie de fechas en las que hay ingresos en tu cuenta: los días de pago de nómina y, con mayor razón, épocas donde tienes dinero extra, como las primas de mitad y final de año, al igual que los bonos extralegales para inducirte a comprar cosas en oferta a bajo precio.

Comprar en promociones sin tener claro qué es lo que se requiere es una forma importante de destruir patrimonio. Las personas salen ansiosas por comprar sin tener una lista, salen con dinero y creyendo que nunca más tendrán una oportunidad como esa, lo que se traduce en comprar cosas que no se necesitan para aprovechar la oferta de bajo precio.

Para estos días de remate o sitios de rebajas continuas, debes tener claro qué es lo que ameritas comprar.

- Tener una lista de lo requerido con los precios normales para poder tener un criterio de comparación.
- Administrar el dinero como una empresa, si no está en el presupuesto ¡No se compra!
- A más información, menos probabilidad de fracaso económico.

> *Las "promociones" están perfectamente programadas para sacar el dinero de tu bolsillo.*

## Comer fuera de casa

Uno de los mejores placeres en la vida es comer, estos gusticos son de los más especiales que te puedes dar, reunirse en la casa alrededor de la cocina para una buena cena, salir con tus amigos, en familia o con tu pareja a un buen restaurante, es una delicia, es disfrutar de un pedacito de felicidad. No te prives de esto y, de ser posible, ten un presupuesto mensual, pero no abuses porque se te puede convertir en un gran destructor de patrimonio. En cuestión de restaurantes, hay para todos los gustos y presupuestos, buenos y económicos y muy costosos y no tan buenos. Debes elegir bien y, sobre todo, estar preparado para los trucos que usan los restaurantes para obtener tu dinero.

Salir por placer a un buen restaurante es de los mejores planes de esparcimiento, una forma de tener equilibrio entre dinero, felicidad y tiempo libre. Las cosas cambian cuando el flujo de efectivo mensual se convierte en una pérdida de patrimonio importante en nuestras finanzas.

Si comer fuera de casa es una obligación por razones de trabajo, y tu realidad financiera no está en condiciones de permitirlo, deberías considerar llevar algo de comer y ahorrarte ese dinero.

*Usualmente le digo a mis clientes: "Te doy las herramientas, las utilidades las obtienes tú". En una asesoría a un funcionario de un banco, después de un análisis y varias recomendaciones, le hice énfasis en que el flujo de efectivo que destina diariamente para la compra del almuerzo era muy alto y su realidad financiera no le permitía compararse con otros funcionarios, que aparte de ser solteros, tenían ingresos superiores. Él tenía tres hijos y su nivel de gastos familiares era mayor, por lo tanto, debía llevar almuerzo y ahorrarse un dinero.*

*Me dijo un poco cabizbajo "me da pena, ninguno lleva almuerzo". Ahí es donde nos controla el ego, el inconveniente del gasto de esta persona no es con los otros, ni del sistema, no es de sus compañeros, es consigo mismo. Esta situación se repite en diferentes escenarios y con diferentes personas. El ego se apropia de nuestra imagen y si no lo controlamos, mucho menos vamos a controlar nuestro nivel de gastos. Le recomendé que se inventara una excusa de una dieta especial e iniciara llevando almuerzo una o dos veces a la semana.*

*En los seguimientos que hago meses después para verificar el estado financiero de las personas, me cuenta feliz que junto con él ya son cuatro los compañeros que llevaban almuerzo de manera fija a la oficina y en algunas ocasiones llegan a seis de doce funcionarios que laboran allí.*

## No creas en minas con tanto oro

¿Quién no ha querido ganarse unos dólares más? Los facilitadores del "Hágase rico, rápido y fácil" abundan por doquier. He asistido a charlas que tienen estas intenciones y cuando llega el momento de poner tiempo, dinero, riesgo y esfuerzo, me doy cuenta de que no es fácil, ni rápido y, que probablemente, quien será rico, no seré yo. Es muy fácil caer en estos grupos de inversiones donde solo se habla de riqueza y oportunidades, lo particular es que tienen la fórmula mágica secreta para hacer dinero y son unos "pobrecitos" que necesitan que nosotros les demos nuestro capital. Cuida tu dinero, desconfía de quien siempre ha sido exitoso, hacer dinero, construir un patrimonio no es fácil ni rápido.

*Cuida tu dinero, desconfía de quien siempre ha sido exitoso.*

*En ratos de esparcimiento juego a las cartas con mis padres y ellos invitan a algunos amigos, entre ellos a una pareja pensionada con quienes jugamos largas horas. Esta pareja llegó un día hablando de un "negocio mágico" donde se volverían millonarios. Habían invertido USD 200 y en una semana les regresaron USD 300, luego llevaron USD 3000 y en veinte días les regresaron USD 3500, un súper negocio. Vendieron su carro y llevaron USD 7000, en un mes les regresaron USD 7800. Felices invitaban a todo el mundo a invertir en el maravilloso negocio.*

*"NO CREA EN MINAS CON TANTO ORO". Se dejaron llevar por su ambición y su ego los llevó a querer cada día más. Terminaron vendiendo su casa, entregaron USD 70.000 y en seis meses les regresarían USD 100.000, cosa que nunca pasó.*

*Destruyeron todo su patrimonio. En la actualidad pagan arriendo y su calidad de vida desmejoró. Por fortuna están pensionados y cuentan con esta renta mensual.*

El caso anterior es conocido como *pirámide* donde se invitan a muchas personas a llevar sus ahorros y les regresan un valor superior en corto tiempo, abundan estas oportunidades de destrucción de patrimonio.

Varios de los imaginarios son, por ejemplo, que los mercados como la bolsa de valores, las criptomonedas, FOREX, entre otros, son unas oportunidades excelentes de inversión y te harás rico, todos los que trabajan allí son millonarios, pero la realidad es otra. Estos sistemas son manejados por computadoras con algoritmos inteligentes que toman decisiones en milisegundos, incluso, compañías de corredores de bolsa realizan grandes inversiones en comunicaciones y computadores que les permiten bajar unos microsegundos en sus operaciones automáticas y tener una ventaja contra el sistema. Desde mi casa operando contra este sistema no la tengo fácil. Es como si viera a un gran tiburón despedazando su presa y yo solo fuera un pequeño alevino, alrededor de este, comiendo las sobras que caen y con el riesgo de perder mi vida.

*En alguna ocasión trabajé operando desde mi casa, estaba pendiente de las bolsas de valores del mundo, en la noche antes de acostarme miraba cómo estaban las bolsas asiáticas, en las mañanas lo primero que miraba era cómo habían amanecido las bolsas europeas, luego los futuros de la bolsa de Nueva York, y así iba mi vida, perdiendo y ganando en la montaña rusa de las bolsas de valores, hasta que me di cuenta de que no tenía tiempo para mí, que todo era trabajar, efectivamente, estaba ganando algo de dinero, pero ¿a costa de qué?, de mi tiempo libre. Liquidé todas las posiciones y busqué otras inversiones que me permitieran tiempo libre, rentabilidad mensual y valorización del patrimonio.*

Invertir en bolsa no es malo, hay muchos negocios y portafolios a largo plazo donde puedes invertir con los conocimientos adecuados, pero si lo haces de manera personal y compitiendo con estos tiburones en el día a día no la tendrás fácil. Conozco muchas personas que se venden como expertos en estos temas y están ganando millones, invitándote a que les des tu dinero, porque ellos tienen el secreto para multiplicarlo. Pregunta por sus pérdidas, cuánto es lo máximo que han perdido, cuál fue su peor año. Hasta los grandes inversionistas de portafolio han tenido momentos de incertidumbre. Cuida tu dinero.

Los comentarios son "que el vecino o el amigo del amigo realizó el mejor negocio y se llenó de dinero", "que es súper rico", "que tiene la fórmula de la riqueza". Subimos a los demás a un pedestal, siempre hacen mejores negocios que tú y yo, de una manera fácil. Llevo muchos años estudiando el movimiento del dinero y, de verdad, no hay fórmulas mágicas, no es fácil conseguirlo, detrás de un buen negocio, siempre hay márgenes de error, fracasos, esfuerzos, pérdidas de dinero, estudios, horas de trasnocho y una serie de decisiones oportunas y bien tomadas antes de lograr la riqueza.

## Tu salud y seguros de salud

El cuidado de la salud es fundamental para un bienestar emocional. Cuidar la salud física y emocional es una de las grandes inversiones que debes tener en tus prioridades de vida, esto no se refiere a perseguir dinero, porque a veces en su búsqueda es donde destruimos la paz interior y el disfrute de nuestro cuerpo. Tener largos horarios de trabajo aumenta nuestro nivel de estrés y lentamente se agotan nuestras energías y se debilita el cuerpo, pasándonos una cuenta de cobro en enfermedades de alto costo que impactan nuestro patrimonio. Debes cuidar el balance entre: ingreso, tiempo libre y felicidad. La salud es la prioridad para producir y disfrutar de la vida, la familia y amigos, en general, si no se goza de buena salud se pierde el equilibrio.

Como parte de invertir tiempo y cuidados en tu salud de manera integral, debes considerar tener un seguro de salud que te cubra eventos ocasionales, que suelen ser muy costosos. Los seguros se cobran basados en estadísticas de ocurrencia. Si una enfermedad en específico está incrementando su ocurrencia, los seguros, normalmente, suben sus primas anuales sobre esta. Las mejores estadísticas de un evento, las tienen las aseguradoras. Así mismo nosotros debemos hacer un análisis de la posibilidad de un evento y el impacto del mismo sobre nuestro patrimonio e ingresos futuros.

Si adquieres un seguro de salud, tendrás que ir al médico a un examen de ingreso, te preguntan por la salud de tus abuelos, padres, tíos y la tuya desde que naciste, te perfilan y, en tu caso, el seguro determina la probabilidad de ocurrencia de un siniestro, de este modo se determinan los costos de tu póliza de seguro, así mismo deberías perfilarte y considerar qué seguro adquieres y cuál no, o subes la cobertura y bajas otros. Si dejas al vendedor configurar tu seguro, hay una alta probabilidad de que estés expuesto a muchas ocurrencias en un corto tiempo y te venderá uno más costoso, que no requieras. Es muy importante que adquieras un seguro basado en tu realidad financiera y probabilidad de ocurrencia, ya que, en un futuro, te puede librar de una gran pérdida patrimonial.

## La fiesta inolvidable

Todos tenemos alguna celebración que hacer en algún momento desde el básico cumpleaños hasta una cantidad inimaginable de reuniones que deseamos compartir con familiares y amigos: aniversarios, graduaciones, matrimonios, festividades de quince para las mujeres, las tenemos religiosas como bautizos, primera comunión, confirmación... o las que el comercio nos impone como día de la madre, del padre, del amor y la amistad, de la independencia, año nuevo, aguinaldo en diciembre, entre otros que se pueden escapar.

Queremos hacer la reunión inolvidable y que quede en las mentes de nuestros amigos y familiares un buen recuerdo por muchos años, el inconveniente resulta cuando lo hacemos sin un presupuesto y, efectivamente, logramos que el festejo no se nos olvide en los próximos años que debemos pagar las respectivas deudas.

Planeemos las celebraciones de acuerdo con nuestra realidad financiera, con un presupuesto y con el efectivo que tengamos, no prestemos dinero para esto. Si no hay dinero para la fiesta: NO HAY, no compremos la aceptación de los demás tirando la casa por la ventana, empeñando o destruyendo nuestro patrimonio para el disfrute de 5 a 6 horas.

*Mis amigos y familiares me dan afecto por lo que soy y no por lo que les doy.*

Estas reuniones son una pérdida importante de patrimonio. Si no controlas el ego y el deseo de comprar aceptación, siempre tendrás la alternativa de gastar más.

Así mismo, cuando somos invitados pensamos en el detalle que por educación llevamos a nuestro anfitrión, este recurso lo debemos tener en un presupuesto, recuerda que es un detalle y no tenemos obligación de pagar parte de la reunión con este. Insisto: no es vivir arrastrado y señalado de tacaño, pero, si debemos madrugar a producir, cuidemos el dinero que ganamos.

Aquí solo te mencioné algunos de los destructores de patrimonio, pero bajo tu realidad financiera debes realizar tu propia lista para ejecutar el control pertinente.

## Cuídate de los vendedores

Los vendedores son expertos en enamorarte de los productos o servicios que representan, tú tienes el dinero en la cuenta y el vendedor lo quiere en su cuenta, tienes el poder de decisión y debes valorar si ese producto o servicio si vale tu dinero y tu tiempo. De tal forma que con todos esos vendedores e invitaciones al gasto, que son camufladas como inversión, tienes un reto importante de enfrentarlas y tomar las decisiones correctas, por eso ¡mis más sinceras felicitaciones por querer capacitarte en finanzas! y espero aportarte conocimiento suficiente para que tomes el control de las mismas y pongas raya a esos vendedores.

Nosotros los compradores tenemos las excusas y objeciones para no realizar una compra específica, pero los vendedores se han entrenado ágilmente para revertirlas y convertirlas en fortalezas o desvirtuarlas. A un vendedor lo comparan con un tiburón, y nosotros los clientes somos la presa, el objetivo que tienen en su mente es: *una vez tienes un cliente, lo debes agarrar,* «morder», *como un tiburón hambriento y no soltarlo hasta lograr tu mordida*, «venta», así mismo nosotros debemos defender nuestro esfuerzo, nuestro tiempo dedicado a conseguir ese dinero. Yo te pido que lo cuides, como cuida a sus cachorros una leona, ese dinero representa el esfuerzo de madrugadas, trasnochos, tiempo que pudiste dedicar a tus seres queridos, largas horas dedicadas a producirlo, que ahora se ponen en peligro de perderse por las cualidades de un buen vendedor.

Cuando estás bonito para el banco comienzas a recibir llamadas ofreciéndote una tarjeta de crédito u otros servicios con muchos beneficios, parece que es la oportunidad única de nuestras vidas, por ejemplo para una tarjeta de crédito nunca te dicen que son los intereses más altos del mercado, que tiene una cuota de manejo, y te hacen sentir un tonto si no la adquieres, y si dices que no te interesa, te hacen una pregunta que traspasa la intimidad y para la cual, normalmente, no estás preparado: *¿por qué?*, ahora resulta que a una persona de quien no recuerdo el nombre, y a quien nunca he visto en mi vida, le tengo que explicar por qué no quiero una tarjeta de crédito, eso es un abuso de los bancos. Ahora debes hacer lo mismo y traspasar esos límites de intimidad y respeto, y responder con gran delicadeza: Qué te importa, no la quiero y punto. Si no eres contundente con estos vendedores agresivos, vas a estar con varias compras que no requieres, destinando un flujo de caja al gasto que bien podría ser una inversión.

Un vendedor estará aplicando diferentes métodos para enamorarte y lograr la venta de un producto o servicio, ellos saben que las personas somos emocionales, y en su mayoría tomamos las decisiones de compra con la emoción, pero un comprador informado y preparado toma la decisión con la razón, entre más informado estés, tienes menos posibilidades de fallar. Dentro del libre albedrio te deseo la mejor elección, y una recomendación esencial es que el vendedor no es tu asesor, el vendedor desea su comisión de venta.

Mucho cuidado con el género del vendedor, muchas marcas y comercios usan personas con cuerpos y rostros hermosos, para incitarte al gasto, recuerda que tienes el poder de decisión, por ejemplo: si te estás midiendo algún vestuario y te queda un poco ajustado, el vendedor dirá: *eso cede con el lavado...*, pero si te queda un poco amplio, el vendedor dirá: *eso encoje con el lavado...*

El sol sale para todas las personas, cada uno de los días de nuestra existencia, y cada día está lleno de oportunidades, y gran abundancia de dinero; en el mundo existe tanto dinero, que si lo repartieran ecuánimemente a cada uno, nos tocarían varios millones de dólares, pero al cabo de unos años el dinero volvería a una distribución similar a la de hoy, eso se debe a que algunos se centran en gastar y otros en hacer que el dinero crezca. El dinero es para usarse y ponerlo a trabajar para nuestro bienestar, no para pasar nuestra vida persiguiéndolo; desperdiciar tu vida en buscarlo y acumularlo sin razón, no es lo que te deseo. Espero ser claro, no te invito a acumular y vivir arrastrado, te invito a gastar con moderación e invertir con pasión.

Insisto en que no se trata de vivir arrastrado, es importante que los gastos sean en experiencias, estas quedan para el resto de la vida, un ejemplo típico es quien se gasta su dinero en un carro a cuotas, y quien se va de viaje, en lo posible con dinero ganado, esas mismas personas se encuentran 20 años después a recordar: quien se fue de viaje va a contar su experiencia a sus amigos o familiares, y puedes ver en sus ojos la pasión con la que cuenta: *yo viaje a..., estuve en..., conocí..., comí...*, entre otros. El que compró el carro normalmente ya lo olvidó. No suelo encontrar muchas personas que hablan de los costosos zapatos, cartera, ropa, carro o reloj que tuvieron, pero sí muchos que hablan con gran pasión acerca de sus viajes, restaurantes o experiencias. Aunque es relativo, porque el que compró el carro también lo puede usar para salir de viaje, pero va a hablar de los viajes y no del carro.

## Resumen de los destructores de patrimonio

Como puedes ver, cada día te enfrentas a destructores de patrimonio, estos son solo algunos que puse como ejemplo, pero seguro en tu cuenta personal tendrás otros donde ha ido a parar tu dinero, que hoy no se ha convertido en mejor calidad de vida para tu familia, y por el contrario ha parado en cosas y servicios que no han aportado valor significativo.

Tomar el control de tu flujo de caja para que cada mes sobre dinero, y en el mediano plazo logres un patrimonio, va a ser una tarea de todos los días, el universo te va a probar cada momento;

una vez tengas la determinación para iniciar el control de tus finanzas, empiezan los obstáculos. Para que esa decisión sea realmente transformadora en tu vida, tendrás que probarlo, y a partir de ahora cada día el universo te va a desafiar para probar tu fuerza de voluntad, desde un gasto hormiga hasta la compra de un carro o remodelación de la vivienda con dinero prestado. Como ya tomaste la decisión, te voy a probar, ahora debes evaluar la conveniencia en tu flujo de caja de ese viaje, de ese carro, de esa ropa de marca, o de ese restaurante cada fin de semana, ahí va a radicar tu verdadera fuerza de voluntad y determinación, en evaluar tu nivel de compromiso. Todos los días habrá un desafío diferente, un producto, un servicio o un vendedor nuevo que afrontar; a medida que vas subiendo en la escala de la prosperidad, aparecerán vendedores cada vez más estilizados y mejor preparados que tendrás que confrontar.

El compromiso no te permite ir a medias, debes tener un compromiso total. En cada momento que interactúas con el universo este te está poniendo a prueba, te invita con productos y servicios que deberías comprar, tómalo como el entrenamiento o preparación que debe realizar cualquier deportista o profesional para lograr el objetivo. Si empiezas a sucumbir ante estas invitaciones, pronto estarás estirando tu dinero para llegar a fin de mes, pero si logras entrenarte cada día, ahorras y no destruyes patrimonio, pronto estarás contando dinero, teniendo tiempo libre y tranquilidad ante el futuro.

Recuerdo una frase que nos repetía nuestro comandante cuando presté servicio militar: *«El entrenamiento es tan fuerte, que la guerra será un descanso»*, hoy aplicada a mi vida financiera, la veo reflejada en cada día de entrenamiento con todas las insinuaciones de compra, es realmente difícil y requiere de una convicción total para superarlo y lograr un patrimonio que te permita una buena calidad de vida.

En cada reto en el que debas tomar una decisión de compra, te vas a poner a prueba. En la medida en que esas decisiones sean más de inversión que de gastos, te empezarás a acercar más a la libertad financiera. Veamos un ejemplo para clarificar conceptos:

Supongamos que tienes un crédito hipotecario de USD100.000 a 30 años, del 6% EA, y en un paseo por un centro comercial te enamoras de una camisa, unos zapatos, un jean, una cartera, un reloj, cualquier cosa de USD100, ahí está el reto, tomar la decisión de comprar (gasto) o pasar a la inversión. Si compras el antojo, los USD100 se van a satisfacer al ego con la cosa que compraste, **¡satisfacer al ego!**, gran destructor de patrimonio. Si no compras la cosa y decides invertir el dinero a una tasa del 6%EA en una inversión de las más seguras del mercado que será abonar a capital del crédito hipotecario, si estás en los primeros meses del crédito, esos USD100 equivalen a un ahorro entre USD400 y USD470 de intereses aproximadamente, es decir, ya te ahorraste ese dinero, nunca lo tendrás que pagar al banco, y es dinero que se quedará en tu bolsillo, pusiste el dinero a más del 400%. Si haces esto continuamente, pronto liberarás la hipoteca e iniciarás la senda a la prosperidad financiera.

Decisiones como estas vas a tener todos los días. El momento más grandioso será cuando pagues la hipoteca, sumas un patrimonio a tu estado financiero y liberas un flujo de caja que es la cuota mensual del crédito, solo ahí date gusto, prémiate y ve a comprar todos esos antojos de gasto que en los últimos años se fueron a inversión. Con ese flujo de caja **¡mima tu ego!** Recomendación: destina al menos seis meses de flujo de caja para tus gastos y antojos, esos que reprimiste los últimos años, y máximo un año, porque luego vamos por la siguiente inversión.

Te estarás haciendo una pregunta muy lógica, y es ¿de dónde saco que con solo USD100 se ahorra alrededor de USD400 en intereses?: si abonamos a capital los USD100, y el tiempo de ese crédito es a 30 años, y estás en los primeros meses, vas a dejar de pagar intereses por más de 29 años a esos USD100, ahí está el ahorro, más adelante vas a poder consolidar los conceptos y permitirte ahorrar mucho dinero.

A medida que avances en el libro, vas a ir entendiendo cómo se mueve el dinero y las emociones para tomar mejores decisiones financieras. Este es solo el inicio, te deseo toda la suerte y fortuna, estaré pendiente para ayudarte en lo que requieras, no será fácil, pero creo que con tu determinación lo vas a lograr. Solo quien persiste hasta la cima va a disfrutar de la vista. No te quedes con esta información, pásala a familiares y amigos, puedes estar salvando una familia de un fracaso económico. ADELANTE.

# NOTAS Y COMPROMISOS

# SEGUNDA PARTE

En este acápite vamos a analizar los frutos de tu siembra financiera de los últimos años en el manejo del dinero: ¿cómo te lo has ganado?, ¿cuánto has acumulado? y ¿qué hábitos del manejo del dinero tienes? Te darás cuenta cómo estás financieramente, si las decisiones han sido acertadas y eres un acumulador de riqueza, o si, por el contrario, eres amante del gasto y durante estos últimos años de madrugar por dinero día tras día has destruido patrimonio.

Es un punto de partida para corregir lo malo y pensar en el futuro, las siembras financieras que realizaste en el pasado son los frutos de hoy, así que determina cómo estás. Y las siembras financieras de hoy, serán la cosecha del mañana, la ecuación es fácil, si las cosas no marchan bien, es mejor rediseñar las estrategias.

La idea es que hagas tu diagnóstico financiero y que saques tus propias conclusiones, te daré una fórmula, pero eres tú quien toma las decisiones, te entrego las herramientas, pero tú haces la escultura.

> *Debes hacer tu propio diagnóstico financiero y sacar tus propias conclusiones. Eres tú quien toma las decisiones.*
> *Te entrego las herramientas, pero tú haces la escultura.*

# NOTAS Y COMPROMISOS

# EL TIEMPO: LO INVIERTES O LO VENDES

Siempre hemos escuchado que el tiempo es oro y, en efecto, años atrás las personas cambiaban su tiempo por este elemento que respaldaba el valor de cada moneda. Si indagas la historia y ves las monedas de los países, podrás identificar la palabra "oro". Hoy en día el movimiento del dinero es diferente y se respalda en deuda.

El promedio de las personas hemos sido educadas para luego vincularnos laboralmente y vender nuestro conocimiento por dinero, en la medida en que potenciamos nuestra capacitación, el mercado nos remunera mejor. Si soy empresario, compro el tiempo de las personas y multiplico ese dinero que les pago. Como soy empleado no soy dueño del tiempo que vendo y debo pedir permiso hasta para ir a una cita médica. Será mi responsabilidad administrar bien los ingresos que recibo por la venta de mi tiempo. Siempre será más beneficioso capacitarme para administrar mejor mi ingreso que capacitarme para ganar más y no administrarlo bien.

Al nacer, cuando hacen corte de nuestro cordón umbilical, inicia el momento cero de nuestro medidor de tiempo limitado, en promedio (depende del país) una persona nacida después del año 2000 tiene una esperanza de vida alrededor de 80 años, cada cumpleaños es un año más de vida y un año que se gastó o invirtió de ese saldo inicial de tiempo. Si todos los días vamos a vender nuestro tiempo por dinero, entonces, el dinero es tiempo y el tiempo es nuestra vida; y luego desperdiciamos el dinero en cosas sin valor, por tanto, desperdiciamos nuestra vida.

A partir de la jornada mínima laboral establecida con un tiempo estimado de 45 horas semanales, descontando días festivos, permisos, incapacidades, y redondeando la cifra para efectos prácticos y rápidos, disponemos de 200 horas al mes. Vamos a comenzar trabajando con una fórmula simple partiendo del ingreso activo, que es el que obtenemos por vender nuestro tiempo, calculemos el valor de nuestra hora laboral. Para mayor comprensión veamos el siguiente ejemplo de dos trabajadores: José y María.

José es un empleado de cualquier organización y su remuneración mensual es de USD 1.500, este es el dinero neto que llega a su bolsillo. Aunque, en realidad, es un valor superior debido a que se paga un porcentaje adicional por salud, retenciones, entre otros. De este valor José ahorra un porcentaje de 16% a 20% mensual para su vejez, que será su pensión. Para efectos didácticos partamos del dinero que llega a su bolsillo cada mes con 200 horas labores, la hora de José cuesta:

VALOR HORA JOSÉ = (USD 1.500) / (200 horas) = USD 7.5 Valor de la hora.

María es una empleada de cualquier organización y la remuneración mensual que llega a su cuenta bancaria es de USD 4.000. Con el mismo ejercicio anterior tenemos:

Valor Hora María = (USD 4.000) / (200 horas) = USD 20 Valor de la hora.

Como muchos José y María en la sociedad, estas dos personas pueden ser: esposos, compañeros de trabajo, vecinos, conocidos, familiares, etc.

Ahora haga su cálculo de ingreso activo.

Supongamos que José y María desean comprar el mismo celular que tiene un valor estimado de USD 1.000, el precio es el mismo para los dos, pero el esfuerzo que debe realizar cada uno es diferente, y esta es una realidad financiera que debemos tener presente en una sociedad capitalista.

Para cada uno vamos a calcular el esfuerzo en horas laborales que deben destinar o lo que es lo mismo: cuántas horas de su vida deben vender para acumular el dinero suficiente para comprar el celular:

María (USD 1.000) / (USD 20) = 50 Horas de trabajo para comprar el celular.

José (USD 1.000) / (USD7.5) = 133.33 Horas de trabajo para comprar el celular.

María requiere alrededor de una semana larga de trabajo, mientras José requiere casi tres semanas de trabajo para comprarse el mismo celular (semana de 45 horas laborales).

Son muchas las personas que andan por la vida aparentando lo que no son, viviendo una vida financiera ajena, gastando en presente el dinero que aún no se han ganado y empeñando el futuro, con el propósito de esperar la aceptación de los demás, es lo que yo llamo Inadecuada Autoestima Financiera.

Hay un ejercicio que me ha ayudado a ahorrar mucho dinero: cada vez que deseo comprar algo analizo mi realidad financiera, divido la compra por el valor de la hora de mi ingreso activo y sé cuántas horas y esfuerzo debo destinar para darme "ese gustico". Así decido si vale la pena hacer la compra. Como ya eres conocedor del valor de la hora laboral de tu ingreso activo, continúa con el proceso de administrar el gasto como lo hace una empresa: basados en presupuestos.

Una empresa al inicio del año fiscal tiene un presupuesto de compras, que se fundamenta en su realidad financiera, así mismo, apoyados en la nuestra, debemos planear un presupuesto de acuerdo con el ingreso por hora activa.

Retomando el ejemplo de José (USD 7.5 hora), el presupuesto para comprar un Jean no debería ser de más de un día de trabajo, alrededor de seis horas, para un total de USD 45. Así debemos construir un listado con nuestro presupuesto de gasto, es importante porque nos previene de hacer compras innecesarias. Cuando nos damos cuenta de todo el tiempo que hemos invertido en trabajar para adquirir un gusto irrelevante, es posible que desistamos de ello y favorezcamos nuestras finanzas.

***Debo comprar bajo mi realidad financiera, el querer vivir una vida de apariencia afectará mi patrimonio familiar.***

*Una prima de mi esposa, que llamaré Diana, se desempeñaba como secretaria con un salario bajo, que para el momento estaba en USD 500, salió a caminar un día que estaba desanimada y mirando desprevenidamente las vitrinas vio unos zapatos de los cuales se "enamoró". En ese momento especial en el que vio una modelo sonriente, con una cara de felicidad mostrando aquellos bellos zapatos, mi amiga tradujo en su mente: "Esa modelo es feliz con esos zapatos, yo seré feliz con esos zapatos". Y como estaba con su ánimo opacado, sembró aquel pensamiento y de ahí en adelante solo pensó en ellos, su precio no importaba, lo importante era tenerlos, porque adquirirlos se traducía en felicidad.*

*Al no tener ninguna clase de preparación financiera, los auto consejos motivacionales como: "Yo trabajo mucho, me lo merezco, para eso trabajo, un gustico al año no hace daño", entre muchos otros, le ganaron la pelea al YO que dice que no debemos gastar lo que aún no hemos ganado. Entonces, recordó que tenía una tarjeta de crédito nueva y con un cupo suficiente, así que se compró sus zapatos con el tarjetazo a 36 cuotas. Diana se endeudó y pagó un precio de USD 140 por los zapatos, un 28% de su salario mensual. Esa felicidad momentánea que tenía llegó a su máximo clímax cuando la vendedora dice las palabras mágicas: "Le quedan divinos". Al llegar a su casa, Diana se da cuenta de que no tiene ropa, ni bolso para combinar los nuevos zapatos. Solo con esto su ánimo vuelve a decaer y se embarca en la adquisición de la ropa y el bolso adecuado, los cuales deben ser comprados en la misma tienda con altos precios para una combinación perfecta.*

En momentos como estos, donde nuestro estado de ánimo nos puede hacer una mala jugada, debemos tener autocontrol y poner a prueba nuestras habilidades financieras para tomar decisiones adecuadas.

***Si compras cosas innecesarias, tarde o temprano no tendrás para lo necesario.***

Para estos casos tengo algunas recomendaciones que les han servido a las personas y que si las pones en práctica, aseguro que te servirán:

1. No compres por impulsos momentáneos, para estos casos espera una semana, si después de una semana aún requieres tu producto o servicio, cómpralo.
2. Pon un mensaje en tus tarjetas de crédito que te recuerde la diferencia entre gasto e inversión. Para gastos esperas, para inversión procedes.
3. Indispensable hacerte esta pregunta: ¿qué pasa si no lo compro? Si la respuesta es NADA, no lo compres.
4. Divide el valor de lo que deseas comprar por el valor de tu hora laboral, así sabrás el tiempo que debes trabajar por esa compra y define si vale la pena.

5. Nunca salgas de compras con el ánimo bajo, tu cerebro te va a engañar para subirlo. Igual pasa cuando sales a mercar con hambre, tu cerebro te hace comprar más de lo necesario.
6. Cuando requieras salir de compras, haz una lista y presupuesto para cada cosa. Por ejemplo, zapatos para papá, presupuesto USD 70; camisa para Juan, presupuesto USD 30. Acorde con tu realidad financiera.
7. Ten clara tu realidad financiera, no puedes ir comparándote con el resto de la humanidad porque esto te crea frustración.
8. Tu prioridad es *ser* y *no tener*. Tu felicidad no depende de cosas, depende de ti.
9. Sé consciente de que la publicidad no desea hacerte feliz, quiere tu dinero. Mira la publicidad con otros puntos de vista.
10. Si no requieres comprar, un centro comercial se visita sin tarjeta crédito, sin tarjeta débito y con un efectivo inferior a USD 20 por persona. Un presupuesto para un café, un snack, helado, etc.

*Tu frustración financiera es la diferencia entre lo que tienes y lo que deseas.*

No tiene nada de malo vender nuestro tiempo, la mayoría de las personas en el mundo lo hacemos, lo que si resulta adverso es no administrar bien ese dinero que llega a nuestra cuenta bancaria con el esfuerzo que implica producirlo y permanecer sobreviviendo más que disfrutando la vida. Encontrar un trabajo agradable y que nos permita un ingreso digno, ahorro y tiempo libre para nuestra familia es un ideal que debemos mantener, estar cerca de la felicidad es tener un ingreso digno y tiempo libre.

Conozco personas que han trabajado 30, 40 o más años, que disfrutan la vida bajo su realidad financiera, se pensionaron y viven sus últimos días sin muchas preocupaciones económicas y con todas las comodidades básicas cubiertas, dedicaron tiempo para sus pasatiempos y cumplieron su misión, son personas exitosas; a partir de que hicieron un uso racional de sus ingresos, y hoy tienen una verdadera independencia financiera que consiste en lograr una mesada pensional digna y tener tiempo libre para hacer lo que deseen.

No les prometo a mis lectores riquezas ni les doy consejos para que sean millonarios, les invito a que encuentren bajo su realidad financiera el equilibrio entre ingreso, tiempo libre y felicidad, que no malgasten su tiempo en perseguir el dinero, la felicidad no está allí, pero tampoco desperdicien su dinero en compras superfluas. Uno de los activos más grandes que tienes es el tiempo, por favor, inviértelo bien. Tu frustración financiera es la diferencia entre lo que deseas y lo que tienes, a medida que esta diferencia se acorta, tu autoestima y felicidad financiera mejoraran.

Existen personas con trabajos independientes de buenos ingresos, pero poco generadores de riqueza; por las condiciones de estatus que los incitan a mostrar buena apariencia financiera, gastan en ropa, carro y accesorios para provocar seguridad y confianza a sus clientes. Trabajan 7 horas diarias de lunes a viernes, si desean más ingresos, deben aumentar sus horas laborales a 10 o 12 diarias, si desean incrementar aún más sus ingresos deben trabajar los sábados, y lo logran, pero a costa de su tiempo libre.

*Hace poco me habló un abogado que conozco desde hace algún tiempo para pedirme una asesoría. Con él, me surgía una intriga y me cuestionaba uno de mis principios: "los hábitos de rico son señales de pobre"; dado que esta persona mantiene un nivel de vida muy alto y cumplía con casi todos los ítems de destrucción de patrimonio.*

*Siempre lo veía con estatus de rico y no se despelucaba con problemas financieros. Cuando iniciamos la entrevista, al preguntar por sus calificaciones financieras, entendí que el hombre no pasaba la "prueba ácida" (más adelante la vemos): su índice de riqueza estaba en pobreza. Básicamente era un mendigo con un buen salario, con él comprobé la vigencia de mi hipótesis. Sus ingresos son muy altos y esto le permite mantener su estatus, pero los gasta todos, está pagando una casa, un carro que cambia cada dos a tres años, altos consumos con tarjeta de crédito a 36 cuotas, entre otros, vive al límite de sus ingresos, no tiene patrimonio que lo respalde en caso de una crisis.*

*Es una forma de vida respetable, pero no la comparto. De llegar a quedarse sin trabajo, este hombre no tiene para vivir cómodamente más de un mes.*

Ahorrar, invertir, crear fuentes de ganancias adicionales que se conviertan en ingresos pasivos, deben ser objetivos de vida, a futuro tu patrimonio estará sustentado en cada una de estas acciones.

***Valora el tiempo libre, tanto como tu ingreso mensual.***

El tiempo libre es un indicador de calidad de vida, ¿cuál es tu tiempo libre?, ¿qué estarías haciendo si no tuvieras que trabajar?

Al evaluar una inversión considera el tiempo que le debes destinar, no es lo mismo invertir en una propiedad raíz que genere una renta, a una inversión en un proyecto, que si bien, puede ser más rentable, requiera de 8 o más horas diarias de tu tiempo y estabilidad emocional.

Son muchas las personas que me solicitan ayuda para evaluar proyectos propios, con una rentabilidad bastante buena. Al pedirles que evalúen el tiempo libre que les va a permitir su idea de trabajo, se dan cuenta que no contaron con este. No estoy diciendo que no lo hagan y renuncien a sus sueños, si esta iniciativa va a la par con su proyecto de vida ¡ADELANTE! seguramente lo van a disfrutar y será como tener tiempo libre, pero si solo se trabaja en un proyecto propio por dependencia de un ingreso económico mensual, toda esa iniciativa se convierte en una carga al querer ganar más dinero a costa del tiempo libre. Ganar dinero es bueno, pero garantiza que te permita tiempo libre y tranquilidad emocional.

Le damos connotación de exitosas a las personas que viven continuamente ocupadas, y tienen muy poco tiempo disponible, considero que es un sofisma de distracción, y que el éxito verdadero debe estar valorado por el tiempo libre que dispone una persona.

El activo más importante que tienes para producir dinero es el tiempo, de tal forma que a lo que dedicas el tiempo será el próximo resultado de tu vida financiera. En tu vivienda o cuarto de dormir ¿es más grande la biblioteca o el televisor? Este es un buen indicar de lo que puedes esperar en el futuro cercano. Planifica e inicia con potenciar tu patrimonio inmaterial, seguro este te traerá un gran patrimonio material.

Dedicar tiempo para aumentar tu patrimonio inmaterial será una de las mejores decisiones de tu vida, leer, estudiar temas específicos, entrenar tus habilidades físicas y mentales, meditar para controlar tus emociones, realizar ejercicio, comer saludablemente, los buenos hábitos de consumo, cuidar: tu cuerpo, tu entorno, el planeta... la lista te la puedo hacer tan larga como desees, pero bajo tu realidad deberás procurar cada día ser mejor, y la decisión es solo tuya. Así que adelante, y te deseo lo mejor del mundo estimado lector, no sin antes agradecerte el voto de confianza al leerme.

## QUIÉN SOY FINANCIERAMENTE

En este capítulo vamos a calcular tu realidad financiera, cómo administraste el dinero de los últimos años, vamos a evaluar la capacidad que tienes de ganar, retener, multiplicar tus bienes y las necesidades futuras de dinero. Es un trabajo personal, donde evaluarás tu desempeño con las finanzas.

Después de analizar varias alternativas para este ejercicio, la que más me gustó es la que se describe en el libro EL MILLONARIO DE AL LADO de Thomas J. Stanley y William D. Danko (1998) Este libro está basado en una investigación de dos profesores que durante casi 20 años utilizaron el método científico en la tarea de encontrar a las personas ricas de Estados Unidos para preguntarles ¿por qué eran ricas?. Llegaron a una fórmula que te dice cuál ha sido tu capacidad de producir, conservar y multiplicar el dinero.

El Índice de Riqueza (IDR) te va a indicar tu destreza para acumular o destruir riqueza en los últimos años, está relacionado con tu realidad financiera, ya que evalúa tus ingresos personales y se asocia también con tu edad porque se espera que a mayor edad exista mayor riqueza acumulada. El índice de riqueza de Thomas J. y William D. es el siguiente:

**IDR = ((Promedio de ingresos anuales de los últimos 10 años) x Edad) / 10**

El IDR es un indicador que debes comparar con tu patrimonio actual y mide tu capacidad de retener y multiplicar el dinero a partir de tu habilidad para generarlo anualmente. Debes tomar el promedio de ingresos anuales laborales de los últimos años (Se sugiere mínimo diez años), lo multiplicas por la edad y lo divides por diez (10). La fórmula permite comparar cualquier grupo de personas con diferentes niveles de ingresos, por ejemplo, vamos a comparar a dos personas de 40 años con un ingreso promedio anual de los últimos 10 años de USD 50.000 y USD 250.000.

IDR 50 = (USD 50.000 * 40) /10 = 200.000
IDR 250 = (USD 250.000 * 40) /10 = 1´000.000

Aunque los números son bien diferentes, igual que sus ingresos, lo que sigue es comparar este IDR con el respectivo patrimonio acumulado de cada uno, dándoles un indicador de la capacidad para retener y multiplicar el dinero ganado en los últimos años. Este te dice si eres un generador de riqueza o un destructor de patrimonio.

Realicemos el mismo ejercicio, como si cada uno tuviera un año más de vida

IDR 50 = (USD 50.000 * 41) /10 = 205.000
IDR 250 = (USD 250.000 * 41) /10 = 1´025.000

El IDR aumenta un 2.5%, lo que se traduce en que cada año que sumo a mi vida debo aportar más al patrimonio.

Esta fórmula te dará un número único que es tu IDR (**Í**ndice **D**e **R**iqueza), este número que acabas de calcular lo vamos a comparar con tu patrimonio. El patrimonio es básicamente lo que tienes libre, son todos tus activos o bienes menos las deudas, es todo lo que puedes convertir en dinero o lo que es lo mismo: si vendes todo lo que tienes y pagas las deudas, es el dinero con el que quedas. Este cálculo de patrimonio puede resultar simple para los economistas, contadores, y demás, pero deseo que sea fácil de entender y de aplicar para cualquier persona que no tenga conocimientos financieros.

Calcula tu IDR:

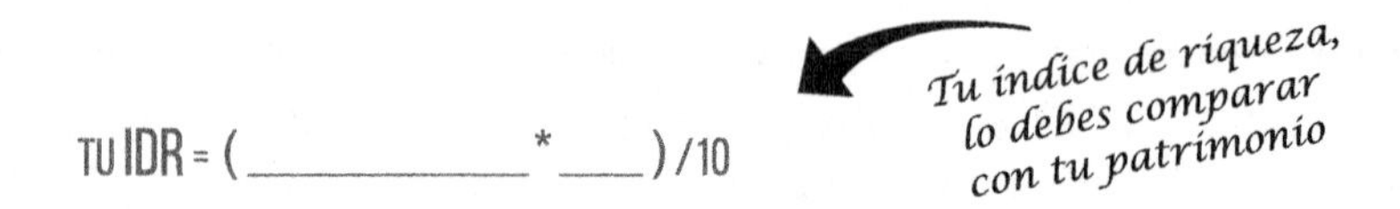


Puedes tomar un promedio de ingresos de los últimos años, que no tiene que corresponder con los últimos diez (10), si deseas emplear cinco (5) la fórmula es igual. El dato de diez (10) por el que dividimos es formulado y no cambia si usas otro promedio de años. Si tienes alrededor de 25 a 30 años, es factible que no lleves produciendo dinero más de 10 años, por lo tanto, puedes realizar el ejercicio a partir de un período más corto.

Debes considerar que con un promedio menor a 10 años de ingresos anuales es posible que no hayas tenido tiempo de generar el patrimonio suficiente para estar dentro de la línea de adinerado o generador de riqueza, pero si es un indicador del rumbo que llevas.

Una cosa es ganar dinero y otra es conservarlo y multiplicarlo. Con esta fórmula puedes darte cuenta de tu capacidad para producir dinero en los últimos años, pero lo más importante es que te preguntes hoy ¿cuánto has acumulado de ese dinero ganado en los últimos años? o, mejor aún, interrógate si de alguna forma este dinero está trabajando para ti y está generando una mayor rentabilidad como ingreso pasivo.

Ya tienes calculado **Tu IDR** y **Tu patrimonio**, ahora comparando ambas cifras podemos obtener los siguientes resultados:

- **Patrimonio es 2 veces o más tu IDR:** este es el mejor escenario y podemos decir que eres una persona rica para tu promedio de ingresos anuales, un excelente administrador del dinero, un buen generador de riqueza y mereces una felicitación. En esta situación podrías tener libertad financiera o estás encaminado a lograrla pronto. Debes estar concentrado en que tu patrimonio esté generando ingresos recurrentes.

- **Patrimonio es igual o similar a tu IDR**: un típico escenario de alguien que está viviendo al día y no está acumulando para su futuro. Estás llevando un buen nivel de vida y no tienes riqueza acumulada, trabajas para el diario vivir. Debes pensar en el futuro financiero y preguntarte cómo sería tu vida si hoy eliminas la principal fuente de ingreso, que seguramente es tu salario.

- **Patrimonio es la mitad o menos de tu IDR:** estamos frente a un destructor de patrimonio, tienes problemas financieros y debes redireccionar tu futuro. Esta es una situación muy lamentable y debes dar el giro a tu vida financiera para tomar la senda adecuada del buen manejo de tu economía.

Esta es la realidad financiera que determina tu capacidad de producir y retener el dinero de los últimos años.

Retomemos el análisis del ejemplo, al inicio de este capítulo, de nuestros amigos con IDR 50 e IDR 250.

<u>IDR 50 = 200.000</u>

Esta persona debe tener un patrimonio de más de USD 400.000 para ser considerada una generadora de riqueza. Si el patrimonio es del orden de USD 200.000, está dentro del promedio de las personas, aunque no es un patrimonio despreciable, probablemente, para este grupo su patrimonio más valioso es la casa donde viven y que están pagando. Si el patrimonio es de USD 100.000 o menos, es típico de los generadores de pobreza, viven al día y están dentro de esa línea delgada entre trabajar y quedar en la calle, así que deben mejorar sus hábitos de consumo y administrar mejor sus ingresos.

IDR 250 = 1´000.000

Esta persona requiere un patrimonio de USD 2´000.000 o más para ser considerada como generadora de riqueza. También es importante considerar en qué está respaldado ese patrimonio, que para una persona con estos ingresos puede ser su "super casa" y gran parte de su dinero se va en el sostenimiento de esta, lo que se traduce en una persona con un alto nivel de vida. Es común que las personas adineradas tengan un alto patrimonio productivo generando flujo de efectivo que les permite vivir más cómodos.

Los conocimientos financieros no son garantía para obtener un alto patrimonio. Hay ejecutivos con abundantes ingresos que administran muy bien las finanzas de grandes compañías, pero esto no lo aplican en su vida, en la que pueden ser un desastre financiero. En su vida cotidiana, estos profesionales buscan mantener una buena apariencia personal, están vestidos de manera impecable, un buen carro, casa y muchas otras cosas que los mueven a gastar más dinero, por lo tanto, el nivel de sus inversiones es muy bajo o inexistente y tienden a vivir al día. Es común que los grandes ejecutivos se sientan forzados a mostrar un estatus social alto, a veces por encima de sus posibilidades, y esto lentamente destruye su patrimonio.

Este análisis te muestra el manejo que le has dado a tu ingreso, es un fiel reflejo de la sabiduría o ignorancia financiera que posees. Con tu IDR puedes tomar decisiones acerca de cómo deseas tu futuro. El IDR está basado en un estudio bajo el método científico y es la conclusión de cómo manejan el dinero los ricos en Estados unidos.

## TIENES HÁBITOS DE RICO O SON SEÑALES DE POBRE

Queremos ser ricos, pero nos comportamos como pobres cuando vivimos en función de las series de TV, *realities*, el cine, la farándula, los deportes, los *youtuber*, influenciadores, todos estos distractores que nos llevan al consumismo, a comprar cosas para satisfacer el estatus. Como los modelos, la farándula, los influenciadores tienen aceptación y reconocimiento, tratamos de imitar su moda y usar las cosas que recomiendan, pero debemos ser conscientes de que detrás de cada cosa que sugieren, están ganando dinero y posiblemente ni consuman ese producto o ni les guste, de este modo las personas vacían sus bolsillos para llenar los de otros. Cuando pones la felicidad en el consumo de productos pronto experimentas frustración, porque la felicidad está en ti, no en los bienes materiales.

El imaginario capitalista nos ha vendido la idea de que rico es el que tiene una gran casa, un buen carro, ropa de marca, accesorios como celulares, reloj de alta gama, joyas...y cuando observamos la realidad financiera de muchas de estas personas, viven con un común denominador: La Deuda. Con estas características podemos encontrar en la clase media, personas educadas, que tienen un trabajo con buenos salarios que les permiten sostener un estatus social y viven para consumir.

Vamos a realizar un listado de los hábitos de pobre que, con independencia de los ingresos, no dejan que las personas tengan tranquilidad financiera. No se trata de ser rico, vivir para acumular dinero no creo que sea la esencia de nuestra vida; no deseo ser recordado por ser rico, deseo ser recordado por ayudar a muchas personas a mejorar su vida financiera, así mismo, cada uno de ustedes debe encontrar qué es lo que más desea, cuál es la razón de su existencia. La mayoría de ustedes estará de acuerdo conmigo en que la verdadera razón de nuestra vida en la tierra está muy lejos del simple acto de amasar dinero, pero es innegable que es un elemento importante en nuestra tranquilidad y estabilidad emocional, por lo tanto, debemos procurar adquirir conocimientos primordiales para administrarlo de la mejor manera y ahorrar lo suficiente para tener una vida digna bajo nuestra realidad emocional y financiera.

Los hábitos más comunes, sin limitarse a estos, de las personas que sostienen un nivel de vida ostentoso y destruyen patrimonio son:

1. Se concentran en el consumo, están más pendientes de aparentar, viven para impresionar a los amigos, familiares, vecinos y hasta desconocidos.
2. Realizan compras impulsivas con frecuencia, anticipando la satisfacción de los deseos a crédito.
3. Son de carro, casa, ropa de lujo y joyas bonitas, pero con bolsillos vacíos.
4. Mantienen muchas deudas y su análisis básico al adquirir créditos es que estos sean con una cuota baja. Sus deudas las pagan siempre por el valor mínimo.
5. Manejan varias tarjetas de crédito y anticipan deseos con estas.

6. Su patrimonio más alto es la casa donde viven y normalmente la están pagando.
7. Cambian de carro y de tecnología en periodos muy cortos y están a la moda.
8. Su ingreso es casi en su totalidad de una sola fuente que es vender su tiempo.
9. No les interesa hacia dónde va su dinero, lo único importante es consumir.
10. Creen que el sistema tiene la culpa de la situación, pero no hacen nada para cambiar su realidad financiera.
11. No ahorran, primero gastan y luego ahorran lo que sobra. ¡Nunca sobra!
12. Ven mucha televisión, deportes, novelas y detrás de esto está la publicidad que los anima a consumir. No invierten su tiempo en capacitación financiera e inversiones.
13. No tienen fondo de emergencia, ante cualquier eventualidad recurren a la tarjeta de crédito con el interés más alto del mercado.
14. Tienen poca autodisciplina financiera, poca creatividad para ahorrar y son expertos en generar gastos adicionales.
15. No se preocupan por su pensión de vejez o por su jubilación. Si no logran una pensión estarán condenados a trabajar el resto de sus días. Gastan sin pensar en un mañana.
16. Priorizan perseguir el dinero, prefieren el tener que el ser.
17. Sus mejores asesores son los vendedores de las tiendas que frecuentan.
18. Sus viviendas están llenas de cosas que no dan valor: cuadros, porcelanas, tapetes, sistemas de entretenimiento, muebles costosos, electrodomésticos que no usan, TV, entre tantas cosas.

Alguna vez hemos ido por la vida aparentando lo que no somos, y me incluyo en este grupo porque en mi juventud y antes de tener el compromiso con mi futuro y el de mi familia, cometí muchos errores al aparentar ser rico cuando era un asalariado, o, peor aún, desempleado. Cuando gastamos en cosas triviales, tarde o temprano no tendremos para las cosas esenciales.

*No aparentes vida de rico, identifica las señales de pobre.*

Si todos los días tienes que madrugar a producir dinero para pagar tus compromisos, eres un asalariado o autoempleado. Afronta tu vida financiera, no aparentes lo que no eres, es aquí donde se concentra gran parte de la pérdida de patrimonio.

*Piensa como rico, vive con frugalidad.*

En una sociedad capitalista como la nuestra estamos abocados al consumo y el individuo es el único responsable de este, si te dejas llevar por esta frenética vía, seguro vivirás para pagar las cosas de las que dependerás, si, por el contrario, te capacitas y haces un consumo responsable contigo, con tu familia y con el planeta, tu vida financiera será más liviana y placentera. La riqueza debe estar acompañada de felicidad y tiempo libre, no es rico el hombre que trabaja de sol a sol, descuida su familia y vive solo para producir dinero. Una persona con independencia financiera prioriza tener tiempo libre, cada día trabaja menos y gana más, comparte más tiempo con su familia, y es más feliz. Prioriza el ser por encima del tener.

*La libertad financiera es directamente proporcional a tener tiempo libre y ganar más dinero.*

La riqueza y el dinero son relativos. Están relacionados con tu mentalidad y el contexto en el que te desenvuelves, mil dólares pueden ser para alguien mucho dinero y el trabajo de todo un mes o incluso de varios meses y para otro pueden representar los gastos del fin de semana. Por esto debemos ser objetivos y no caer en comparaciones económicas, que poco o nada aportan a nuestro futuro financiero.

*En tu vida financiera nadie hará por ti lo que tú no estés dispuesto a hacer.*

Calcular la riqueza de una persona es muy fácil, te vas a sorprender de lo sencillo que es. A este procedimiento lo llamo **La prueba ácida**, funciona así:

Supongamos que hoy te quedas sin trabajo, tu riqueza está basada en el tiempo que puedes vivir sin trabajar con el mismo nivel económico que tienes actualmente. Realiza esas cuentas, para eso debes tener muy claros tus gastos mensuales y proyectarlos en el tiempo, si tus gastos mensuales fijos son USD 1´000, requieres tener ingresos, ahorros o inversiones diferentes a tu trabajo, que te permitan tener un ingreso mensual por lo menos con un 20% adicional a tus gastos fijos mensuales, que para este ejemplo deben ser del orden de USD 1´200.

No sirve que digas que tienes una casa, un carro: "lo vendo y me voy en arriendo, o bajo estos y aquellos gastos", la intención es mantener el mismo nivel de vida actual.

Esta simple prueba ácida te permite determinar tu realidad financiera, si puedes vivir el resto de tu vida sin tener que volver a trabajar, te puedes considerar rico, pero si, por el contrario, no tienes cómo vivir más de un mes, crudamente eres un mendigo con salario. El ciclo de un mendigo es el hambre, lo mueve cada 4 a 6 horas a buscar alimento, y el ciclo tuyo es semanal, quincenal o mensual, depende del pago que te realicen. Esta no es la vida que deseo para ti ni para tu familia, deseo verte en libertad económica y haciendo lo que más te guste, para esto debes realizar cambios en tu vida financiera y capacitarte.

*Ingreso activo: depende de que estés presente, como tu trabajo. Ingreso pasivo: no depende de tu presencia continua, como las inversiones.*

La invitación es a que reflexiones sobre lo que deseas en tu vida. Es muy importante generar varias fuentes de ingreso pasivo, aquel que no depende de tu inversión en tiempo. Si el 100% del ingreso activo requiere de tu presencia para poder generarlo, cuestiona la fragilidad financiera en la que estás; es muy importante que seas creativo y busques generar ingresos pasivos. El talento oculto es un diamante en bruto, búscalo, púlelo y saca su máximo provecho.

Uno de tus retos principales si deseas ser coronado por la libertad financiera será: vencer el orgullo o el ego interior que te incita a vivir para los demás

Acaso no has tenido una conversación en la que haces cualquier pregunta y la respuesta que obtienes nada tiene que ver con lo que inicialmente preguntaste: "mira me compré el celular X, el reloj de marca cero, o el carro Z", "realicé un viaje a las islas canarias", "compré una finca, compré y compré... ". Así se presume para que el mundo crea que eres importante, ese es el alimento al ego que te hace sentir bien y que generalmente carga con deudas y destrucción de patrimonio. Todos, de alguna forma, hemos alardeado de cosas materiales en nuestra vida para saborear ese dulcecito que nos aleja de nuestra libertad financiera.

***"Si hoy te quedas sin tu ingreso activo: ¿cuánto tiempo puedes vivir sin tener que volver a trabajar conservando el mismo nivel de vida?"***

Hay un grupo de aparentes ricos con destreza para que el medio los reconozca, y un grupo de verdaderos ricos que ve la oportunidad y les paga por sus talentos, como son algunos deportistas, actores, cantantes, pintores, músicos, entre otros, que durante su vida despilfarran su dinero y al final de sus días los vemos en situaciones lamentables. Conocemos la historia de alguien que no ha sabido manejar su fama y su dinero y termina en la ruina, muy buenos con sus talentos, pero pésimos administradores del dinero, no quiero esto para ninguno de ustedes. Les pasa igual a grandes talentos intelectuales que han estudiado brillantes carreras y logran éxitos profesionales que les otorgan beneficios económicos altos, pero se les olvida realizar las previsiones respectivas para su vejez y terminan en la ruina.

Se conocen historias de personas del deporte y la farándula que tuvieron momentos de gloria y ganaron mucho dinero, un ejemplo de ello son los futbolistas que tienen éxito entre los 17 y los 35 a 38 años máximo, es decir, que disponen de 20 años para producir dinero y generar reservas para vivir alrededor de 50 años más.

Existen deportistas arrepentidos por los millones que malgastaron, y que terminaron casi de la caridad. Se sintieron ricos por un momento y derrocharon a manos llenas, convencidos de que esos ríos de dinero no se acabarían, cuando nunca dejaron de ser asalariados y generar riquezas para alguien que sí es verdaderamente rico, y cuando sus talentos terminaron o a los empresarios ya no les interesaban, los ríos de dinero se secaron.

Otro perfil es el de profesionales que no solo hicieron una carrera universitaria, sino que llegaron a posgrados y doctorados, estudian tanto para valorarse en el medio y vender su tiempo por más dinero, que van ostentado ser exitosos, mostrando que tienen abundancia, mientras siguen siendo asalariados trabajando para alguien que sí posee riqueza. Son personas muy buenas en lo que hacen y se esforzaron para hacer más dinero para otros, pero se olvidaron de administrar el suyo. Esa empresa para la cual estás sacrificando tu vida, algún día te dará la carta de despedida, así que prepárate para la libertad financiera y para que seas tú quien firme la carta y eches a tu jefe o a su empresa.

***Si te preparas para ganar más dinero, prepárate para administrarlo.***

No importa cómo ganas tu dinero mensual, lo importante es gestionar muy bien lo que llega a tu cuenta bancaria, esta debe proporcionarte una calidad de vida adecuada y permitirte ahorrar para el futuro. Como puedes ver, aparentar ser rico es negocio solo para el sistema, destruye patrimonio familiar y te lanza al abismo financiero.

El concepto de adinerado y admirado es muy diferente al que vemos en los medios, los ricos de verdad tienen varias de estas características, sin limitarse a ellas:

1. Dan mayor prioridad a la independencia financiera que a la posición social.

2. Viven con frugalidad, gastan menos de lo que ganan, ahorran, invierten y generan ingresos pasivos.
3. Son eficientes empleando los recursos de tiempo y dinero.
4. Tienen proyectos a largo plazo e invierten recursos en su planificación.
5. Se capacitan continuamente en finanzas, son muy estudiosos del movimiento del dinero.
6. Son estables en su matrimonio y no cambian con frecuencia de casa o carro.
7. Invierten gran parte de sus ingresos cada año.
8. Conocen muy bien la magia del interés compuesto y el tiempo.
9. Tienen un par de asesores muy competentes, un abogado y un contador.
10. Dan total prioridad a la calidad de vida y dejan a un lado la carrera por ostentar un nivel de vida.
11. La casa en la que viven es menos del 15% de su patrimonio total.
12. No conducen carros costosos ni los cambian frecuentemente.
13. Siempre están pensando en inversiones rentables y en generar un mayor patrimonio.
14. Madrugan, hacen deporte, comen saludable y cuidan de su salud.
15. Saben que llegarán a viejos, por lo tanto, tienen ahorros para su vejez o proyectan una buena jubilación.

Deseo que cada uno de mis lectores trabaje en sus finanzas familiares y dedique su tiempo para hacer lo que más le gusta.

¿Quién es realmente rico? La respuesta a esta pregunta no es fácil porque depende de muchos factores; no es como definir cuál es tu riqueza, que se representa en el tiempo que puedes vivir sin trabajar con el mismo nivel de vida actual. Definir si una persona es rica significa compararlo con su entorno y tener presentes diferentes conceptos económicos en los que no todos coincidimos, yo tengo mi propia definición de rico y hay varias definiciones en todo el mundo, veamos algunas de ellas para determinar si en realidad se es rico o tan solo se aparenta serlo:

- **Según su patrimonio**: la revista Forbes, que mide la riqueza de grandes personalidades del mundo, dice que rico es una persona que tiene un patrimonio de más de un millón de dólares en inversiones, fuera del patrimonio de uso personal como la casa en la que vive, el carro o carros de uso diario, entre otros bienes que no generan ingresos. Esta definición es buena porque incluye la inversión que es necesaria para generar ingresos pasivos adicionales.

- **Por ingresos**: está dada por la capacidad de generar ingresos anuales y cada país lo define para el pago de impuestos. No es lo mismo el nivel de ingresos en Latinoamérica al de países como Inglaterra, Suiza, Estados Unidos, entre otros, llamados del primer mundo. En estos países es considerado rico quien genera ingresos promedios anuales de más de USD 270.000. En Latinoamérica la cifra es inferior y podría estar en USD 150.000 al año. Esta definición no es de mi agrado porque define como rica a una persona que depende de unos buenos ingresos anuales, pero no por ello tiene un patrimonio que la respalde, de este modo, puede ser un empleado de altos ingresos y bajo patrimonio; esta persona está expuesta a quedar cesante y entrar a un nivel de pobreza rápidamente.

- **Patrimonio es 2 veces o más tu IDR:** el índice de riqueza se toma del promedio de ingresos de los últimos años y valora la capacidad de generar riqueza, relacionándola con la edad. Es un tema que había explicado en el capítulo "Quién soy financieramente", dónde calculo la riqueza basado en el libro "El millonario del lado". Esta definición es de todo mi agrado.

- **Mi definición**: rico es quien tiene ingresos pasivos suficientes para mantener su calidad y nivel de vida por el resto de sus días sin tener que volver a trabajar o vender su tiempo por dinero.

*Rico no es el que aparenta, rico es el que cada día requiere aparentar menos.*

Con esto define si eres realmente rico o te estas dejando ganar la batalla por la baja autoestima financiera. Debes valorar más la calidad de vida, hacer de las finanzas del hogar un proyecto familiar en el que todos conozcan cómo es el flujo del dinero, sobre todo involucrar a tus hijos para que sean conscientes del valor del dinero y del esfuerzo para conseguirlo, lo van a valorar el resto de su vida. Cuando las finanzas familiares se trabajan en equipo, todos aportan, sus hijos van a entender que no son ricos y que no requieren aparentar lo que no son.

Como calculaste tu riqueza monetaria, deseo dejarte esta reflexión con la que quiero que analices el valor que le das al dinero. Supongamos que hoy te dicen que te quedan entre tres y seis meses de vida, igual que al inicio de este libro, y de acuerdo con las anotaciones de la enfermera Bronnie Ware, pregúntate:

¿De qué te sirve el dinero acumulado?
¿Qué sentido tienen las cosas de marca o costosas que tienes?
¿Por qué crees que te recordarán las personas?
¿Qué dejas a la humanidad, digno de recordar?
¿Cuáles han sido tus momentos de mayor felicidad?
¿Qué será lo que más extrañarás?
¿A quién le debes un perdón o pedir unas disculpas?
¿A quién o a quiénes deseas abrazar?
¿Qué falta por hacer?
¿Otras a tu voluntad?

Son muchas las preguntas, pero la más importante que deseo que hagas es: **¿Cuál es tu patrimonio inmaterial?**

Tu sabiduría, conocimientos y saberes, tus destrezas, habilidades, lo que te apasiona, para qué eres bueno, cómo es el control de tus emociones, cómo es tu relación con el mundo, con tu vecino, con el portero, con la persona que atiende el supermercado cercano, con la naturaleza y los animales, cuál es tu voluntariado. Esta es tu esencia, la que te llevarás para la eternidad, la que nadie te podrá quitar, esto eres realmente tú. Como propósito, por favor considera con más ahínco aumentar tu patrimonio inmaterial, es seguro que este te permitirá crecer tu patrimonio material.

*Mira la vida de Steve Jobs (Cofundador de Apple, Pixar), en su momento uno de los hombres más ricos de nuestra tierra, murió a los 56 años de cáncer, su dinero no le salvó la vida, pero sí nos dejó un gran legado que será recordado por muchos años. O mira a nuestro amigo corredor de fórmula uno, Michael Schumacher, en toda su cúspide y en milisegundos quedó postrado a una cama. La vida nos cambia de rumbo en cualquier momento, así que es mejor disfrutar mientras podamos de esas pequeñas cosas que no tienen precio, a ninguno de nuestros amigos anteriores les sirvieron los millones acumulados y el tiempo que dedicaron a acumularlo en sus últimos momentos.*

## Tu número de la independencia financiera

Al realizar las cuentas anteriores ya tienes una idea clara de tus requerimientos de flujo de efectivo y los ingresos anuales que necesitas para una vida digna, ahora hagamos un análisis para determinar tu número de la independencia financiera.

En este punto seamos objetivos y realistas al tener como base nuestras finanzas, y, sin limitar nuestras aspiraciones, determinemos cuál es el mínimo básico de vida saludable y feliz para nosotros, es decir, hoy que iniciamos el camino hacia nuestra libertad financiera, sin lujos y gastos extra, preguntémonos: **¿Con cuántos salarios mínimos vivimos dignamente?** Este ejercicio debe ser en salarios mínimos para no perder poder adquisitivo en el tiempo.

La meta es lograr que este número de salarios mínimos esté constituido por nuestros ingresos pasivos y no dependa de nuestra presencia continua. Llegaremos a nuestra libertad financiera en la cual hacemos lo que más nos gusta y dejamos de vender nuestro tiempo por dinero.

En el capítulo "Administra tu dinero como si fuera el de tu jefe" encuentras las tablas que debes manejar para el control de tus finanzas presentes a corto, mediano y largo plazo, ahí puedes identificar cuáles son tus necesidades básicas y el monto requerido mensual para cubrirlas. Divide ese monto por el salario mínimo mensual y tendrás el número de salarios mínimos que posibilitarán que dejes de trabajar por dinero.

*La meta: lograr ingresos pasivos que no dependan de nuestro tiempo y que paguen nuestros gastos diarios.*

Este número de salarios mínimos mensuales será nuestra meta y lo debemos lograr con ingresos recurrentes. Una de las inversiones tradicionales es la propiedad raíz bajo la modalidad de renta mensual; la propiedad adquiere más valor en el tiempo, incrementa el patrimonio y te permite tener un flujo mensual para tus gastos diarios.

No creas que generar ingresos pasivos y no tener que madrugar todos los días a producir dinero te exime de realizar labores en beneficio de tu patrimonio. Al lograr un patrimonio estable que genere ingresos mensuales, se debe dedicar esfuerzo, tiempo y estudio a gestionar todas las decisiones en función de ese bien, por ejemplo: alrededor de la propiedad raíz que causa un arriendo mensual, se deben gestionar acciones como el pago de impuestos, remodelaciones, mantenimiento periódico, rentarlo, inmobiliarias, entre otros, aunque no con la periodicidad de un trabajo.

Uno de los retos que debemos asumir en la vida es el equilibrio entre FELICIDAD, TIEMPO LIBRE y DINERO. Veámoslo representado en un triángulo equilátero. Si nos dedicamos solo a conseguir dinero, posiblemente no tengamos mucho tiempo libre, ni felicidad; del mismo modo si tenemos mucho tiempo libre y no nos ocupamos en cubrir nuestros ingresos, existirá un desbalance en alguno de los lados, entonces, el triángulo dejará de ser equilátero. Nuestro bienestar dependerá de encontrar el equilibrio entre los tres aspectos y nuestro propósito es evitar que se desvíe.

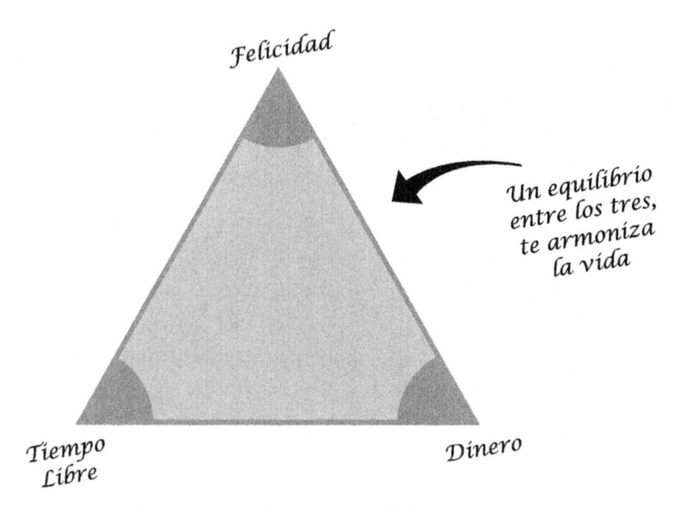


GRÁFICA 4. EQUILIBRIO DEL TRIÁNGULO EQUILÁTERO

Me encanta cuando alguien me dice que está próximo a pensionarse porque la pensión nos acerca al equilibrio entre tiempo libre, dinero y felicidad.

*Hace poco me encontré con un amigo que después de trabajar 35 años para una compañía logró la edad para jubilarse. Esta persona trabajó todo este tiempo y realizó una excelente administración de su dinero, a pesar de tener un solo ingreso familiar compró y pagó su casa rápidamente, pagó la universidad a sus dos hijos e invirtió sus excedentes. Hoy tiene su jubilación, casa propia, carro y tres apartamentos libres que le generan ingresos adicionales y no tiene deudas.*

*Este hombre con un solo ingreso logró un patrimonio que lo hace rico bajo su realidad financiera, Mi amigo, a quien conozco hace más de 30 años, ha tenido un equilibrio bastante cercano al triángulo equilátero.*

No es una condición dejar tu ingreso activo, pero si debes capacitarte y administrarlo lo mejor posible. Mi amigo convirtió su ingreso en riqueza, así que el resto de su vida financiera será bastante tranquila.

Nos vamos por la vida persiguiendo el dinero y nos olvidamos de disfrutarla, encontrar un equilibrio en nuestra existencia es tan importante como tener un trabajo o unos ingresos que te permitan una tranquilidad financiera. La felicidad no es la ausencia de dolor, la felicidad es un estado emocional que debemos procurar mantener cerca. El enojo, la tristeza, la frustración y los miedos son parte esencial de la vida y debemos tomarlos como aprendizajes a superar y administrar, dándoles su justa medida. Te aseguro que muchas de las angustias que no te han dejado dormir, no han llegado al término que temías, sin embargo, desperdiciaste un tiempo valioso angustiado por lo que nunca pasó. No permitas que tu felicidad dependa de las cosas, esta es un estado emocional que debes procurar conservar y alimentar. Con este libro pretendo que el dinero no sea parte de la angustia, sino que te libere financieramente y te genere tranquilidad, estabilidad y felicidad.

# TERCERA PARTE

La banca es uno de los mejores apalancadores en el mercado, es necesario saber cómo funciona, quién la regula, cuáles son sus tasas de interés, qué seguros ofrece, identificar si se mueve bajo principios éticos, o si, por el contrario, está buscando sacar más dinero de tu bolsillo. A medida que la conozcas y te familiarices con ella, ampliarás los elementos para identificar la forma que te permita ahorrar dinero obteniendo una mayor utilidad.

Los bancos saben cuál es tu debilidad, llevan años haciendo dinero de cuenta del pobre empleado que no tiene educación financiera. En este libro busco suministrarte información que te permita tomar decisiones acertadas frente a los bancos, cómo hacerte un cliente atractivo, de qué forma negociar, ahorrar dinero y entender los créditos.

El negocio del banco es prestar dinero, lo capta del público a una determinada tasa de interés y se lo retorna con un incremento de esa tasa de 5 o más veces. Cuando adquieres un crédito hipotecario obtienes también un socio que es el banco, por 20 o 30 años, así que lo más seguro es que lo quieras conocer muy bien, por lo tanto, ocupa tiempo a la hora de elegir el mejor y no te arrepentirás.

*Los bancos saben cuál es tu debilidad.*

# ESTRATEGIAS PARA PAGAR MENOS Y MÁS RÁPIDO LAS DEUDAS

Tener deudas siempre es una opción en nuestra vida, pueden llegar a ser un buen apalancamiento que permita construir un patrimonio o comprar bienes o servicios cuando no se dispone de efectivo. El problema es cuando usamos la deuda para cubrir gastos. **Hay una gran diferencia en la deuda de gasto y de inversión**, esto es fundamental en la vida financiera de cualquier persona, tenerlo claro te dará una ventaja muy importante para lograr tu independencia financiera.

**Deuda de gasto**: es todo préstamo que adquieres para comprar cosas o servicios, donde el dinero no crece, no retorna ni adquiere más valor. Por ejemplo, adquirir deuda para vacaciones, tecnología, carro, entre otra cantidad de tentaciones en el mercado. Remítase al capítulo de "Descubre los destructores de patrimonio en tu vida".

**Deuda de inversión**: Es todo préstamo que adquieres para comprar cosas o servicios, donde el dinero crece o toma más valor en el tiempo. Por ejemplo: educación financiera, adquirir propiedad raíz, iniciar un negocio, cosas que no pierden valor en el tiempo y que generan renta.

> *Los ricos usan el banco para apalancarse e invertir, los pobres para anticipar deseos y gastar.*

Ahora, te doy una recomendación para que ahorres el 100% de lo que deseas comprar, este consejo y apoyo mental me ha servido mucho en mi vida financiera con una estrategia simple:

Toma las tarjetas de crédito, débito, tu cartera o billetera y pega un papel que diga: ¿GASTO O INVERSIÓN? Cuando estés a punto de comprar y veas este mensaje ¡REFLEXIONA! En caso de que sea gasto, espera una semana; si después de este tiempo aún lo requieres, cómpralo. Cuando aplazamos el gasto, lo que normalmente ocurre en la mayoría de los casos, es que se te olvida, sobre todo cuando son compras impulsivas y el ahorro es del 100% de lo que dejamos de comprar.

Como ya diferencias entre gasto e inversión, verifica cómo están tus deudas y para empezar clasifícalas. Si todas están dentro de la categoría de inversión, mereces una felicitación y vas por buen camino; pero si todas son de gasto, estás destruyendo patrimonio y debes dar un giro al timón de tus finanzas y reprogramar la bitácora de viaje hacia la inversión. Este análisis será un indicador de cómo estás manejando el dinero.

A continuación, realicemos el cálculo de un par de indicadores personales para ver cómo está tu ámbito financiero. El primero es el porcentaje de deuda sobre tu patrimonio y el segundo es el porcentaje de deuda sobre tu flujo mensual.

*Sabiduría financiera: tener la deuda bajo control.*
*Ignorancia financiera: permitir que la deuda maneje mi vida.*

**Nivel de deuda total (Pasivo/activo)**

1. Toma el saldo total de las deudas y divídelo por todo lo que tiene valor monetario para ti.
2. Luego lo multiplicas por 100 para que te dé un valor en porcentaje (%). Este indicador te permitirá analizar por cada peso que tienes, cuánto debes.

Vamos a calcular el valor del activo de una forma artesanal para que sea de fácil comprensión para las personas que no tienen conocimientos financieros.

Haz una lista con todos los bienes o cosas que tienen un valor monetario y asígnales el valor que el mercado pagaría por ellos, el total de la suma será tu activo. Luego suma los saldos totales de cada una de las deudas (Pasivo). Al dividir todo lo que debes por todo lo que tienes (tu activo), conocerás tu nivel de deuda. Multiplica por 100. Ejemplo: si el resultado es del 30%, esto quiere decir que por cada 100 monedas que tienes, debes 30 monedas, o por cada 30 monedas de deuda tienes 100 monedas para pagar.

Consideraciones acerca de tu nivel de deuda

- Si no tienes deudas este indicador será 0. Todo lo que tienes es tuyo, tus ingresos presentes y futuros no están comprometidos con nadie.
- Debajo del 15% tienes un nivel de deuda bueno.
- Entre 16% y 40% es un nivel de deuda típico y aún es manejable. Estarás mejor si la deuda es más de inversión.
- Entre 41% y 60% ya empiezas a tener signos de cuidado, sobre todo si la deuda es más de gasto que de inversión. Si el porcentaje se destaca en inversión, no es tan crítico, en tanto el flujo de efectivo sea adecuado.
- Más del 61% debes verificar cómo se concentra la deuda, si es en inversión debes cruzarla con el flujo de efectivo y trabajar para bajar ese indicador lo más pronto posible. Si es en gastos, puedes estar en problemas, es preciso replantearse la forma de administrar el dinero y realizar cambios urgentes a nivel financiero.

Cuando compras una casa, el banco te presta entre el 70% y 90% del precio total; si ese es el único activo con el que cuentas, el nivel de deuda corresponde a estos mismos porcentajes, lo que se traduce en un sobrendeudamiento: por cada 100 monedas que tienes, debes 70 o 90 monedas. Si este es el caso, debes concentrarte en abonar a capital y bajar la deuda, esto te dirige hacia un patrimonio más alto.

**Nivel de deuda del flujo de efectivo (cuotas mensuales de deuda/ingreso mensual)**

1. Suma las cuotas mensuales de las deudas y divide el resultado por los ingresos mensuales.
2. Luego multiplica ese resultado por 100 para que quede en porcentaje (%).

Este indicador te permite evaluar el flujo de efectivo mensual, que es una de las mejores cartas de presentación ante un banco. De este modo, identificas por cada moneda que ganas, cuánto debes destinar para pagar la deuda mensual.

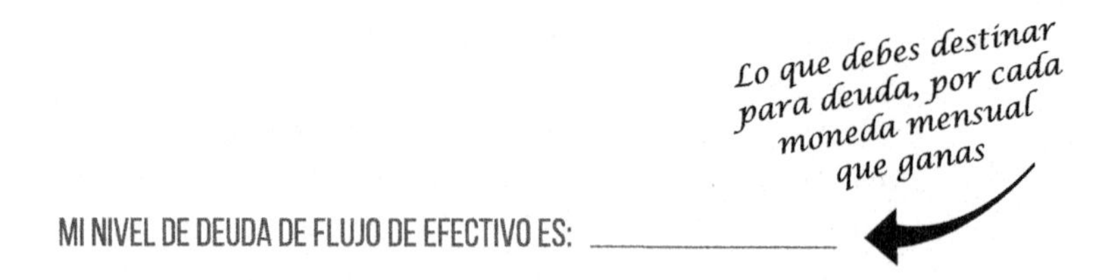

Consideraciones acerca de tu nivel de deuda de flujo de efectivo:

- Este monto por norma no debe superar el 35%, pero debes considerar si la deuda es más de gasto o de inversión. Cuando la deuda es de inversión podríamos admitir hasta un 40%, inclusive hasta un 50%, puesto que con una inversión estamos capitalizando parte de ese dinero y esto se traduce en un patrimonio importante a futuro, es como un ahorro, es decir, estamos llevando gran parte de nuestros ingresos mensuales al patrimonio futuro. Si las deudas son más del tipo de gasto, debes trabajar en eliminarlas.
- Si es 0%, es ideal, todo el dinero que ganas mensual lo tienes disponible. Tu dinero presente no está comprometido con nadie. Podrías considerar el costo oportunidad de apalancarte y tener deudas de inversión. Eres muy atractivo para el banco y es posible que te estén llamando para prestarte dinero.
- Cuando el monto de deuda está por debajo del 10% es un flujo bueno y eres atractivo para el banco.
- Si está por encima del 11% a 20%, es un nivel adecuado, pero para mayor tranquilidad las deudas deben ser más de inversión.

En este momento hay que hacer un balance y sacar conclusiones frente a tu realidad financiera: ¿Cómo está el patrimonio?, por cada moneda que tienes ¿cuánto debes?, ¿cómo está tu flujo de efectivo mensual? y por cada moneda que ganas mensualmente ¿cuánto destinas para pagar la deuda?

Debes tener un control exhaustivo de las deudas y no superar las recomendaciones. No se debe permitir que éstas tomen control de tu vida y sean la causa de tus noches de insomnio.

*Sabiduría financiera es usar la deuda para apalancar la inversión.*

Ahora procedamos al manejo de las deudas y cómo vamos a pagarlas bajo las siguientes premisas:

1. Pagar en intereses y costos adicionales lo menos posible.
2. Pagarlas en el menor tiempo posible.
3. Salir de deudas de gasto y pasar a deudas de inversión.

Realicemos una lista de todas las deudas, teniendo a la mano los extractos, luego dibujemos una tabla de datos de diez columnas y a cada una le asignaremos un nombre con las siguientes consideraciones:

- Primera columna: DEUDA. De manera vertical se anotarán todas las cosas para las cuales fue adquirida la deuda: casa, carro, tarjeta de crédito 1, tarjeta de crédito 2, universidad, vacaciones, entre otras.
- Segunda columna: TIPO. Cada deuda la clasificamos según sea de gasto o inversión, te va indicando si estas construyendo o destruyendo patrimonio.
- Tercera columna: MONTO. Se asigna la cantidad total de la deuda, al día de hoy.
- Cuarta columna: TASA. En esta debemos registrar el interés efectivo anual (EA) de cada deuda.
- Quinta columna: TIEMPO. Escribimos el tiempo en meses restantes de cada deuda.
- Sexta columna: SEGURO. Consigna el valor mensual de seguro de vida. Considera en este punto que para vehículos e inmuebles se debe pagar un seguro adicional al de vida que es el seguro todo riesgo en vehículos e incendio y terremoto en propiedad raíz. Pon el valor mensual de todos los seguros sumados.
- Séptima columna: EXTRAS. En los préstamos las entidades se han ingeniado cobros para sacarnos más dinero, en esta columna debemos escribirlos en valores mensuales. Dentro de estos tenemos: cuotas de manejo, seguros adicionales, cobros de administración, estudios de crédito, entre otros.
- Octava columna: INTERESES. Vamos a calcular el valor total de intereses que debes pagar por toda la vida restante del crédito, este valor te lo debe dar el banco o hay muchos simuladores en internet que calculan el interés total que

debes pagar por un crédito. Si es cuota fija multiplica la cuota por el número de cuotas que faltan y resta el capital que debes hoy, eso te da los intereses a pagar por el tiempo restante de la deuda.

- Novena columna: COSTO TOTAL. Es el resultado de sumar todos los costos asociados a la deuda y será muy importante porque nos indica el costo real de una deuda.

En esta columna vamos a sumar:

a. La columna de INTERESES totales restantes.
b. La columna de seguro por el número de meses pendientes de la deuda, así ponemos el valor total a pagar de seguros durante la vida restante del crédito.
c. La columna de cobros extras, si existen, por el tiempo total de la deuda, así ponemos el valor total a pagar de cobros extras durante el tiempo de vida del crédito.

- Décima columna: INDICADOR. La vamos a calcular así: dividimos la columna de COSTO TOTAL sobre la columna del MONTO y el resultado lo dividimos por el número de meses restantes a pagar, esto nos da un número por cada deuda que multiplicamos por 100 para que nos dé en porcentaje. El número más alto es la deuda que primero debemos pagar, porque sobre ella están los mayores costos. A medida que aportamos abonos extras sobre esta deuda, entregamos menos dinero al banco.

***INDICADOR = ((COSTO TOTAL/MONTO) / (TIEMPO EN MESES))*100***

Para mayor ilustración, veamos el siguiente ejemplo:

Orden en que se deben pagar las deudas

| DEUDA | TIPO | MONTO | TASA EA | TIEMPO | SEGURO | EXTRAS | INTERESES | COSTO TOTAL | INDICADOR |
|---|---|---|---|---|---|---|---|---|---|
| TC 2 | GASTO | $ 1,400 | 20% | 36 | $ 0,0 | $ 5 | $ 378 | $ 558 | 1,1% |
| UNIVERSIDAD | INVERSIÓN | $ 3,000 | 16% | 60 | $ 90 | $ 3 | $ 1,377 | $ 1,647 | 0,92% |
| TC 1 | GASTO | $ 3,500 | 18% | 36 | $ 0,0 | $ 5 | $ 844 | $ 1,024 | 0,81% |
| VACACIONES | GASTO | $ 4,000 | 15% | 36 | $ 72 | $ 0 | $ 991 | $ 1,063 | 0,74% |
| CARRO | GASTO | $ 28,000 | 12% | 84 | $ 2,352 | $ 0 | $ 13,519 | $ 15,871 | 0,67% |
| CASA | INVERSIÓN | $ 170,000 | 8,3% | 240 | $ 20,400 | $ 0 | $ 171,267 | $ 191,667 | 0,47% |
| | TOTAL | $ 209,000 | | | | | | | |

**TABLA 4. CLASIFICACIÓN DE DEUDAS**

Una vez realizado el ejercicio, organizas desde el indicador más alto hasta el más bajo, como se muestra en la tabla anterior. Sobre el primer crédito debes realizar abono extra a capital y para el resto de los créditos pagar la cuota mínima.

Miremos el ejemplo para entender bien el ejercicio:

El indicador más alto es de 1.11% de la tarjeta de crédito 2 (TC2). Es el monto más bajo y es congruente con la tasa más alta, sin embargo, si vemos los dos siguientes créditos en la tabla no son correspondientes con la TASA, dado que el crédito "universidad" tiene tanto seguro de vida como pago extra de manejo y esto hace que al final sea un crédito más costoso, por eso no nos concentremos solo en la tasa, sino, también, en incorporar los costos extras de los créditos, es la idea con este ejercicio.

A partir de esta tabla debes iniciar con abonos extras a capital en la deuda de la TC2, todo el dinero extra que puedas abonar a capital te genera ahorro en intereses que no van al banco. Para la deuda TC2 que es el indicador más alto, mira el costo total de la deuda que es del orden del 40% (558/1400) del monto prestado.

Usa este consejo mental que me ha servido en mi vida para pagar deudas, en el ejercicio de la TC2 (40%): POR CADA MONEDA

QUE ABONO A CAPITAL ME AHORRO EL 40% EN INTERESES, ES COMO PONER EL DINERO AL 40%, NADIE ME DA ESTA RENTABILIDAD.

No es una conclusión literal, pero como truco mental te servirá para motivarte a realizar abonos extras al banco.

*Dinero que dejo de pagarle al banco se queda en mi bolsillo.*

Mira que en ninguna casilla está la cuota a pagar porque el análisis parte de pagar lo menos posible al banco e identificar el crédito más costoso para darle prioridad en el pago. Pensar en cuota es pensar como pobre, debes pensar como los ricos que analizan los créditos desde el punto de vista del costo total por el mismo y no desde la cuota.

La estrategia ahora es pagar los montos mínimos de las otras deudas, y a la deuda principal, que es la que tiene el mayor número en el indicador, le pagamos su mínimo y abonamos a capital lo más que podamos hasta finalizarla. Una vez saldada, procedemos con ese flujo de caja a abonar a la deuda del segundo indicador más alto y así sucesivamente vamos cancelando cada una hasta completarlas y llegar a cero endeudamiento.

La tabla la debemos hacer en Excel o en un cuaderno a lápiz, de tal forma que cada mes podamos actualizarla, así vamos midiendo la disminución de la deuda. A medida que pagas créditos liberas efectivo en tu flujo mensual, que debe ir al siguiente crédito. Una vez pagados los créditos te concentras en que las próximas deudas sean solo para inversión.

## GANA DINERO CON LA TARJETA DE CRÉDITO

La tarjeta de crédito (TC) es un cuchillo de doble filo. Con frecuencia es el primer acercamiento de las personas con los créditos bancarios y es obligatorio hacer un buen uso de esta, de lo contrario, se puede convertir en tu peor pesadilla. Haz una similitud entre la TC y el fuego, este último puede quemar tu casa y hasta cobrar tu vida de forma cruel si es mal usado, pero en condiciones de buen manejo se puede convertir en quien cocina tu alimento, te da calor, te calienta el agua de las mañanas y te aporta calidad de vida.

Debes ser responsable con el manejo de la TC y entender su completo funcionamiento, para la familia este instrumento financiero puede ser un gran destructor de patrimonio si no se hace un uso adecuado.

Los bancos no son exigentes al momento de otorgar TC, el análisis básico es que no estés reportado en centrales de riesgo y que tengas ingresos demostrables. ¡Listo! tienes tu TC con un bajo cupo al inicio. La TC es una referencia para el banco del manejo de tus finanzas y la información que tienen a través de esta es esencial para determinar la calificación financiera. Si todo lo difieres a 36 cuotas y pagas el mínimo cada mes, eres un generador de ingresos para el banco y un gran destructor de patrimonio familiar, el banco podrá ofrecerte subir entre un 10% a 20% el cupo, siempre que seas cumplido con tus pagos.

Con la TC el banco tiene acceso a todos tus hábitos y preferencias de compra, así te analiza y perfila para determinar el tipo de cliente, por ejemplo, si compras en un supermercado y pagas a 36 cuotas. El banco identifica el establecimiento, pero no los productos y puede intuir que estás comprando el mercado a cuotas, lo que es un fiel indicador de que estás en problemas financieros o próximo a tenerlos. De manera similar si los pagos que realizas son más de gasto y con frecuencia alta, este es un indicador de destructor de patrimonio y también baja la calificación. Pero si los hábitos de compra son a una cuota, nunca realizas avances y eres puntual en los pagos, todo esto aumenta la calificación y posiblemente te suban los cupos de tus tarjetas de crédito.

***La tarjeta de crédito debe ser un generador de ingreso, si no es así, no debes tenerla.***

Las condiciones básicas sobre una tarjeta de crédito son:

1. Se paga una cuota mensual de manejo o mantenimiento.
2. Las tasas de interés son de las más altas del mercado.
3. Puedes diferir las compras hasta 36 cuotas, algunos bancos permiten más.
4. Puedes realizar avances en efectivo. Se cobra interés inmediato.
5. Según el nivel de la tarjeta algunas tienen seguros de asistencia a la casa, en vehículo, en viajes, en compras, entre otros.
6. Es un cupo rotativo: pagas las cuotas y liberas cupo que puedes volver a usar.

7. Te permite realizar compras a nivel internacional.
8. El banco realiza poco análisis financiero y de respaldo.
9. Por cada compra que realizas al establecimiento le cobran una comisión
10. Pagos a una cuota no generan intereses.
11. Otorga millas, puntos y kilómetros por compras.
12. Promociones en establecimientos y compras de marcas.
13. El nivel de la tarjeta de crédito corresponde con tu realidad financiera: con un nivel de ingresos altos, te otorgan un cupo mayor, mejores beneficios y más descuentos.
14. El método de amortización usado es el alemán.

Cada banco tiene una política de uso de la TC, a mejor manejo de esta, tu cupo será más alto y los beneficios mayores.

**Reglas de oro del buen manejo de la tarjeta de crédito:**

1. **Comprar todo a una cuota:** las compras que realices a una cuota permiten financiarte hasta 45 días sin pagar intereses.

2. **No pagar cuota de manejo:** si estás pagando cuota de manejo, llama al banco y solicita cancelación de la TC porque no deseas pagarla, si eres buen cliente te exoneran. Si te la cancelan, hay muchos bancos que entregan TC sin cuota de manejo. Cuando llames te pasaran a fidelización y te darán entre seis meses y un año de exoneración de pago, tómalo y anota en tu celular o en un sitio donde no se te olvide y 20 días antes del vencimiento, llamas de nuevo para seguir disfrutando de este beneficio.

3. **Tener presente la fecha de corte y pago:** son las dos fechas más importantes de una TC, tenlas presentes en un lugar visible para no pasarlas por alto.

4. **Pagar con la TC al día siguiente de la fecha de corte**: cuando realizas una compra el día después de la fecha de corte, tendrás 45 días a cero intereses para trabajar ese dinero.

5. **Asegurarse de acumular millas o puntos**: para incentivar las compras las TC otorgan beneficios que se pueden traducir en dinero. Acumular millas o puntos, te permitirá redimirlos en viajes o productos. Úsalos como una alcancía, por cada compra acumulas, hasta que almacenas una buena cantidad y te puedes ir de viaje.

6. **Nunca diferir a más de una cuota:** diferir a varias cuotas genera los intereses más altos del mercado y la destrucción de patrimonio. No produzcas ingresos para el banco.

7. **Nunca retirar efectivo con la TC**: cuando retiras dinero te cobran intereses al día siguiente y son los más altos del mercado, no destruyas tu patrimonio.

8. **Pagar siempre el 100% del saldo de tu TC**: las compras internacionales o por defecto se difieren a varias cuotas, no puedes elegir el número de estas, paga siempre toda la deuda en la fecha de corte y te ahorras los intereses. No seas de pensamiento pobre pagando siempre la cuota mínima.

9. **Comprar con TC solamente aquello para lo que tengas el efectivo**: esto permite que dejes el dinero en el banco o invertido, acumular millas y pagar el 100% de la cuota la fecha indicada.

10. **Una sola TC es suficiente:** no requieres más, podrías tener otra de una franquicia diferente pero siempre y cuando no te cobren cuota de manejo y que la diferencia de fecha de corte entre estas sea de 15 días, en este periodo te apalancas 30 a 45 días sin intereses.

11. **Considerar los seguros que tiene la TC**: las TC tienen múltiples seguros para carro, casa, viajes y compras. Es importante tener claro estos beneficios al adquirir una TC y aprovecharlos, de este modo es un respaldo y no una carga.

12. **Mantener las medidas de seguridad con la TC:** tener una TC es como tener dinero en efectivo, así que es igualmente atractiva para el dueño de lo ajeno; hay que cuidarla de una clonación o robo.

*No usar la tarjeta de crédito para compras impulsivas.*

## Generando ingresos con la tarjeta de crédito

La TC es un instrumento financiero que te permite realizar compras en múltiples establecimientos, es esencial para viajar, sobre todo a nivel internacional hay muchas compras que solo se pueden hacer con TC: alquilar un carro, reservar un hotel, reserva de espectáculos, entre otra cantidad de cosas. Cuando tuve mi primera tarjeta de crédito con su respectiva cuota de manejo, la primera pregunta fue ¿cuánto debo comprar mensual para que las millas que gano cubran el pago de la cuota de manejo? Con esta premisa inicié y hoy es una fuente de ingreso. La financiación a 45 días a 0% interés es uno de mis métodos más usados y hay momentos en los que puedo tener excelentes beneficios, el sistema funciona así:

La tarjeta de crédito tiene dos fechas importantes: la fecha de corte y la fecha de pago. En la fecha de corte el banco suma todas las compras que realizaste el último mes, el valor dado más intereses, más cuota de manejo lo debes pagar 15 días después de esta fecha. Hasta aquí todo muy bien, pero ¿qué pasa con las compras que realizo el siguiente día de la fecha de corte a una cuota? estas tendrán fecha de corte a los 30 días siguientes y fecha de pago a los 15 días siguientes, por lo tanto, tendrías 45 días para pagar esas compras. Así te puedes financiar por 45 días a 0% de interés.

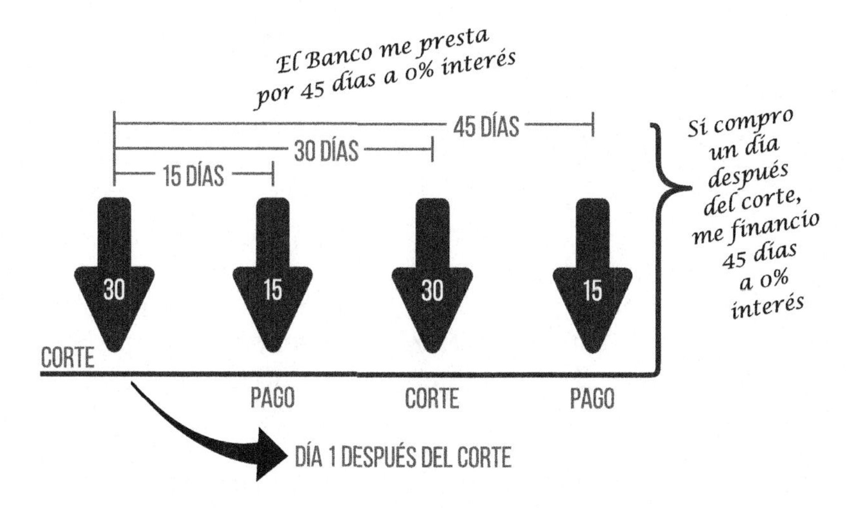


GRÁFICA 5. FECHAS DE CORTE Y PAGO TARJETA DE CRÉDITO

El uso permanente de este método me ha permitido tener ingresos extras y asesorar a varias personas para que también lo logren.

*Un amigo quería comprar un carro con deuda, le dije que preguntara al concesionario si podía pagar el 100% del carro con TC, y le respondieron que sí. Ahora le pedí que preguntara si le podían desembolsar el dinero del préstamo una vez el carro saliera pignorado a ellos, respondieron que sí. Procedimos a comprar el carro de USD 40.000 con la TC un día después de la fecha de corte, a una cuota. Con esa compra se acumuló 80.000 millas equivalentes a USD 560 dólares. Tres días después tenía su carro, se llevó la documentación al banco y le pidió que desembolsara el crédito para la fecha de pago de la TC con un cheque a nombre del banco emisor de esta. El interés del préstamo fue del 12%, para este caso se ahorró 45 días de intereses equivalentes a USD 600.*

*Al final el ahorro en este movimiento fue aproximadamente de USD 1.160, equivalentes a 2.9% del precio del carro en 45 días, una rentabilidad bastante buena. Un ahorro adicional es el seguro de vida, las TC por lo general no lo cobran, para el préstamo del banco este seguro se aplazó 45 días a USD 1 mensual por cada USD 1000, se ahorró USD 60 adicionales.*

*Debes considerar no estar al tope de los 45 días, dado que puede surgir algún inconveniente, tómate un respaldo al menos de 3 días para el pago de la TC, ya que si te pasas un día te cobran el 100% de los intereses y son los más altos del mercado y en ese caso perderías dinero.*

La compra un día después de la fecha de corte es clave, cuando compro una propiedad raíz aplico el mismo sistema, le pido al vendedor que me permita, como parte del pago, cubrir los gastos de notaría, realizo el pago de ambos, sumo millas y me financio 45 días.

La tarjeta debe tener una fecha de corte que coincida con los pagos normales que se realizan de manera mensual, donde permitan pagar con TC. Así programas todos los pagos para esta fecha sumando millas y financiándote a 0% de interés.

Es importante entender tres cosas bajo este método de financiación a 45 días y 0% de interés:

1. Compra con la TC solo para lo que tengas el efectivo y a una cuota.
2. Este método involucra un daño colateral, las cuotas mensuales van a ser muy altas, por lo tanto, en las centrales de riesgo te bajan la calificación, dado que es posible que tu cuota supere tu capacidad de endeudamiento; para el caso de mi amigo que compró el carro, pasó en centrales de riesgo con una cuota mensual de USD 40.000, pero sus ingresos probablemente de USD 3000 mensuales encendieron las alarmas al considerársele sobrendeudado, así que por tres meses su calificación bajó.
3. Las compras con TC son un indicador para el pago de impuestos de renta en algunos países, no es que tengas que pagar un impuesto, pero entras en la lista de los posibles ciudadanos a pagar.

Debes prescindir de este método o pagar antes de la fecha de corte, durante tres meses antes de tramitar un crédito, en lo posible pasar al corte con cero pesos de pago, esto mejora tu calificación en centrales de riesgo.

## Otras consideraciones:

**Compra de cartera con TC:** muchos bancos usan las TC para compra de cartera a muy bajas tasas, y a un buen tiempo, hasta cinco años. Cuando estás con el agua al cuello es una buena opción para realizar compra de cartera de otras tarjetas de crédito o consumo. Considerando que la TC usa el método de amortización alemán y que no cobra seguro de vida, son tres los beneficios esenciales:

1. El interés de compra de cartera con TC es más baja que el interés de crédito de consumo.
2. Cambia el crédito de consumo con amortización francesa a compra de cartera con TC en amortización con método alemán que tiene una diferencia aproximada entre 10% y 20% de interés más económico.
3. En los créditos de consumo pagas seguro de vida, en general la TC no lo cobra, así que te ahorras ese dinero.

**Fechas de corte y pago**: las fechas cambian con relación a los días hábiles, a menudo los bancos utilizan para la fecha de corte el día hábil anterior a la fecha estimada, por ejemplo: la fecha de corte es los días 20 de cada mes, pero si el día es domingo, será el viernes 18 (día hábil anterior), por lo tanto, el día siguiente para compras y financiación a 45 días es el 19. De igual manera, muchos bancos no toman las compras del mismo día de la fecha de corte, esto lo debes verificar; para el ejemplo las compras del 18 no entran en la fecha de corte, y son tomadas las compras hasta el 17, de este modo tendrías 3 días más de financiación. Para la fecha de pago el banco toma el día hábil siguiente, para el ejemplo sería el 5 de cada mes, como el 5 es un sábado, la fecha para el pago sería el 7 (día hábil siguiente), pero si es festivo el día de pago sería el 8, así, en total serían 50 días de financiación.

**Niveles de la TC:** los bancos tienen diferentes niveles en sus TC, estos están relacionados con sus cupos y beneficios, a más cupo más beneficios en seguros al carro, la casa y en compras, descuentos en compras, un conserje que te ayuda con reservas a espectáculos, seguro de vida en viajes, seguros en alquiler de vehículos, entre otra cantidad de beneficios. Entre ellos me gusta mucho que algunos bancos te ofrecen una tarjeta que permite ingresar a las salas VIP de los aeropuertos del mundo, es una maravilla cuando viajas.

# PREPÁRATE COMO UN INVERSIONISTA PARA LOS BANCOS

Los créditos son esenciales para apalancarnos y adquirir bienes o servicios que mejorarán nuestras vidas. Depende de nosotros hacer un buen uso de ellos. Un crédito consiste en anticipar un dinero con el que espero contar a futuro y el cual debo devolver. Quien me lo facilita confía y cree que se lo regresaré sumando a este el costo del interés. Cuando solicitamos dinero en calidad de préstamo, estamos realizando un pacto de confianza entre dos partes: una de ellas confía en la devolución de su dinero con sus respectivos intereses, y la otra parte cree que llegará dinero en un futuro para pagarle al prestatario.

Un banco presta dinero basado en los ingresos y como garantía te exige un seguro de vida que cubrirá el préstamo y le pagará al banco en caso de una fatalidad. Si el préstamo es para compra de una propiedad raíz, el banco se asegura bajo una hipoteca de primer grado y esta respalda el crédito. Si es para un vehículo, el carro queda pignorado o en prenda a favor del banco hasta que se pague toda la deuda. Si tienes inversiones de pensiones voluntarias, fondos de inversión, acciones o depósitos a término fijo a largo plazo, los bancos te pueden ofrecer congelar dichos recursos y estos se convierten en la garantía del préstamo.

*Los ingresos mensuales son tu mejor carta de presentación para el banco, ¡cuida tu flujo de efectivo mensual!*

Si realizas un préstamo debes considerar la pérdida de valor del dinero en el tiempo que es el índice de precios al consumidor o pérdida de valor adquisitivo o inflación o depreciación.

Cuando el banco presta USD 50.000 a cinco años el dinero del primer día del préstamo no es el mismo que 5 años después, porque con ese monto dentro de cinco años no se comprará lo mismo que se compró en el primer año. Es muy importante tener claro y presente este concepto, porque si el préstamo es a una tasa del 10% efectivo anual (EA), con una inflación del 3% EA, el interés real a pagar es del 7% EA. Si utilizo el dinero del préstamo para comprar un bien inmueble, que genere una renta mensual del 0.6%, (esto equivale aproximadamente a 7.44 % EA anual. Es decir que el inmueble paga los intereses del préstamo y yo pago el capital) construyo un patrimonio que, al finalizar el pago, se convierte en un ingreso pasivo por la renta.

## Seguros de vida en los créditos

El seguro de vida solo sirve si la persona fallece y el beneficio de este será para su familia. Por cada crédito debe adquirir un seguro de vida que cubra el préstamo en caso de fallecimiento.

Al analizar un crédito es pertinente considerar el costo de los seguros que el mismo banco ofrece y que muchas veces es demasiado alto. Aunque depende de la edad, las condiciones de salud y la historia clínica, es necesario hacer este análisis financiero para no pagar de más. La recomendación es tener el precio del seguro por cada mil dólares o por un múltiplo comparable a este valor bajo tu moneda oficial y realizar varias cotizaciones con otras aseguradoras que tienen seguros de vida exclusivos para créditos y con mejores precios.

*Endose los seguros de vida, son más económicos en aseguradoras especializadas que en el banco.*

Es obligación del banco aceptar estos endosos, sin embargo, es posible que el banco diga que no se puede; entonces, pide por escrito la negativa a esta solicitud (lo que generalmente tampoco hacen). En caso de que no respondan existe un regulador bancario al que puedes acudir para solicitar ayuda.

La adquisición de un seguro que cubra el préstamo es ineludible para cualquier monto y tiempo de vida de un crédito. Algunos bancos cobran sobre el saldo de la deuda, y eso es lo ideal para el usuario, cada mes el seguro de vida disminuye su precio porque baja el capital; otros bancos ofrecen el seguro de vida con unos precios altos con respecto al mercado e igualmente obligan a que dicho seguro sea por el 100% del préstamo durante su vigencia. Esta última condición tiene dos perspectivas, una buena y otra regular: la buena es que ante una fatalidad (perdón, realmente no es tan bueno, pues tienes que fallecer) el seguro cubre la deuda y el sobrante se lo dan a la familia o herederos, lo que resulta favorable porque deja un patrimonio libre y un dinero extra para la familia. La regular es que debes pagar durante toda la vida del crédito un valor del seguro que afecta tu flujo de efectivo mensual y te lo podrías ahorrar.

*Actualice el seguro de vida al saldo de la deuda cada seis meses, así te ahorras un dinero extra mensual.*

El endoso de los seguros de vida con una aseguradora diferente al banco es un consejo para aplicar de acuerdo con la realidad financiera de cada persona. Puedes actualizar el seguro al saldo de la deuda cada año o cada seis meses para pagar un valor inferior y mejorar el flujo de efectivo disponible.

## Amortización de préstamos

Es el método bajo el cual se va extinguiendo gradualmente una deuda. En un crédito la cuota se divide en pago de intereses y abono a capital, según la aplicación de estos es el tipo de amortización.

A continuación, vamos a ver los tres tipos de amortización más usados por las entidades financieras.

### a. Cuota constante o método francés

Es uno de los métodos más usados en la banca. A través de este, el banco recibe unos buenos intereses y al usuario se le asegura una cuota baja y estable, con abono a capital creciente e intereses decrecientes, en otras palabras: al inicio se paga más de interés y se abona poco a capital; a medida que avanza el tiempo del préstamo ocurre lo contrario: se abona más a capital y se pagan menos intereses. En cada cuota se paga el 100% de los intereses más la proporción de capital para ajustar la cuota fija.

Para un mejor entendimiento voy a realizar un análisis de cuatro créditos de USD 50.000 cada uno, a tiempos diferentes de 5, 10, 15 y 20 años respectivamente y a un interés del 10.46% EA. El siguiente análisis será similar y proporcional a otros valores en los mismos tiempos, el objetivo es que se entienda el movimiento del crédito y como usarlo a nuestro favor.

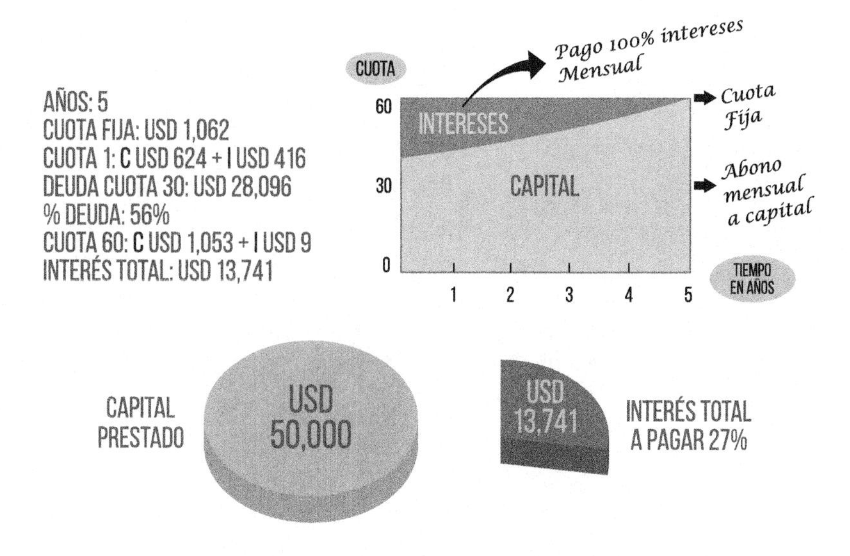


GRÁFICA 6. PRÉSTAMO FRANCÉS A 5 AÑOS

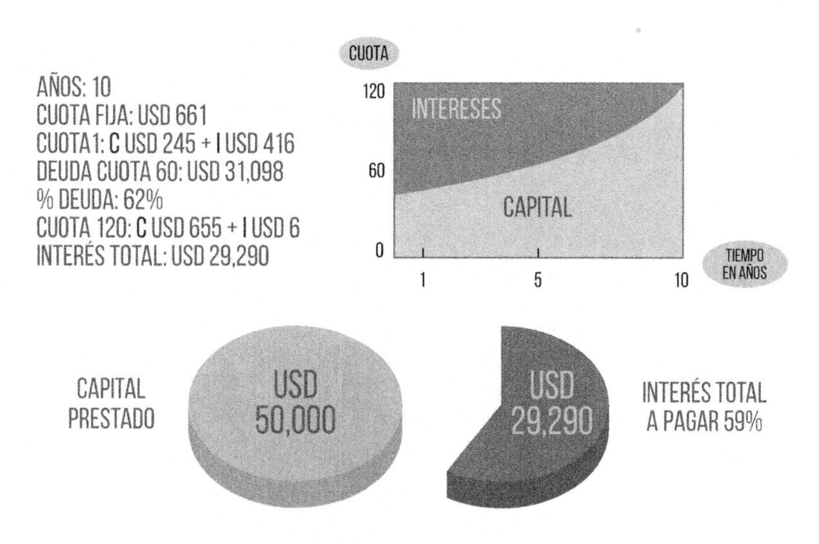


GRÁFICA 7. PRÉSTAMO FRANCÉS A 10 AÑOS

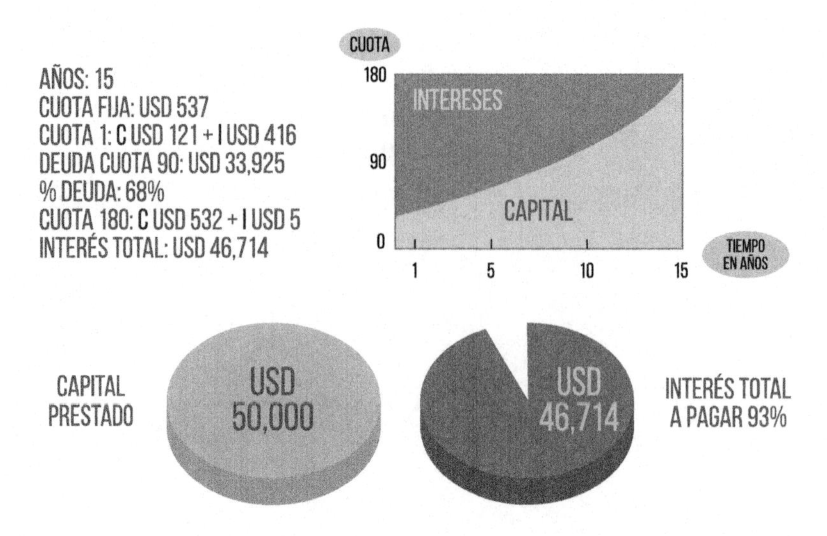


GRÁFICA 8. PRÉSTAMO FRANCÉS A 15 AÑOS

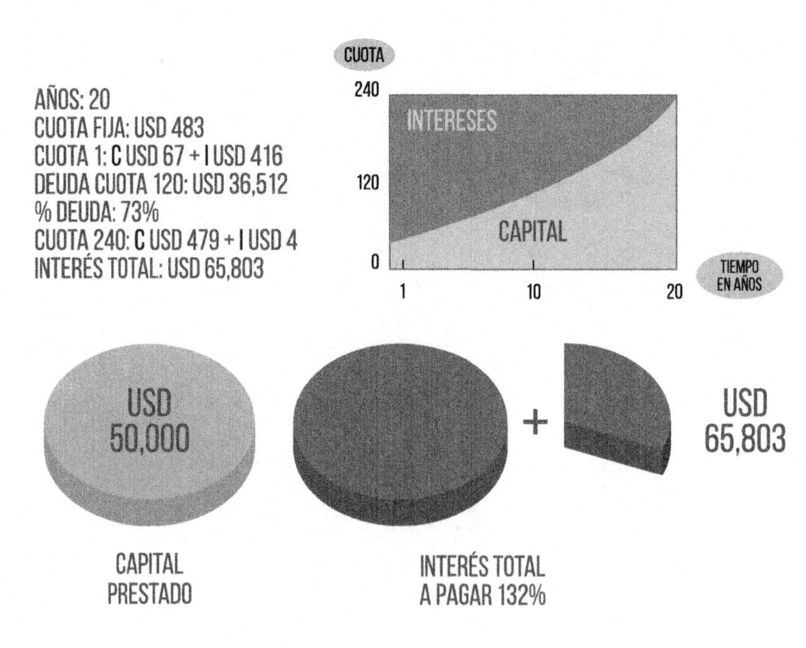


GRÁFICA 9. PRÉSTAMO FRANCÉS A 20 AÑOS

Observaciones:

- La cuota es fija en cada periodo. Observe cómo cambia el interés y el abono a capital entre la primera cuota y la última de cada periodo.

- En cada cuota se paga siempre el 100% de los intereses al saldo de la deuda, por eso en la cuota uno el pago de intereses siempre es el mismo de USD 416 a 5,10,15 y 20 años, porque el saldo de deuda es el mismo en ese momento.

- Cuando se lleva la mitad del tiempo del crédito el saldo de deuda a capital no corresponde a la mitad de la deuda. Ejemplo, para el periodo de 20 años, cuando se lleva 10 años pagando, aún se deben USD 36.512, correspondientes a un 73% de deuda, en otras palabras, solo se ha pagado el 27% del crédito.

- Uno de los aspectos más importantes para analizar es el **interés total a pagar**, que corresponde al valor adicional que debes entregarle al banco por el préstamo y es aquí donde nos debemos concentrar en pagar lo menos posible.

- Para este tipo de créditos es muy importante abonar a capital al inicio. Ejemplo: para el periodo de 20 años debes pagar de intereses un total de USD 65.803, equivalentes a un 130% aproximadamente del monto prestado, es decir, que por cada dólar que abones a capital desde el inicio del crédito, te estás ahorrando USD 1.3 dólares de interés.

- Es muy rentable abonar a capital en este tipo de crédito. La mayor rentabilidad para abonar a capital la tienes dentro del 40% del tiempo. Para el ejercicio de 20 años, estará en los primeros ocho años, si abonas USD 1.000 en la cuota 6 a capital, el interés total que pagas por el crédito es USD 59.829, que se traducen en dejar de pagar USD 5.974 aproximados en intereses. Multiplicas los USD 1000 casi por 6. Dinero que queda en tu bolsillo y no va al banco.

**Si deseas saber el valor total de interés a pagar en cuota fija resulta fácil:**

- Multiplica la cuota sin seguros y pagos extras por el número de meses restantes, ahí tienes el valor total a pagar incluidos intereses y capital.
- Resta el capital prestado o el saldo a capital restante (está en el extracto del crédito) y quedan los intereses totales a pagar.

Para el ejercicio de 5 años, multiplica USD 1.062 por 60 cuotas, son USD 63.720, resta el capital de USD 50.000 y quedan USD 13.720, da una pequeña diferencia debido a que aproximé y no puse los centavos de las cuotas, pero con este ejercicio calcula muy fácil el interés total a pagar en esta modalidad de créditos.

Para un mejor entrenamiento la tarea es realizar el cálculo del valor total para el resto de los ejemplos, que propuse, de 10, 15 y 20 años. ¡Adelante!

**b. Abono fijo a capital o método alemán**

Este es el método que más me gusta. En este tipo de amortización se divide el préstamo por el número de cuotas y cada mes se abona a capital ese mismo valor más los intereses generados por el capital adeudado. Así se amortiza siempre la misma cantidad a capital de forma que los intereses se van reduciendo de manera progresiva y la cuota va descendiendo mes a mes. Este tipo de amortización paga menos intereses que el anterior, pero se requiere del cliente unos mayores ingresos. A menudo este método es usado en las tarjetas de crédito.

Hagamos el mismo análisis con respecto al método anterior. Tomemos los mismos cuatro créditos de USD 50.000, a tiempos diferentes 5, 10, 15 y 20 años y al mismo interés del 10.46% EA.

Para los cuatro ejemplos la primera cuota se calcula así:

A 5 años es 50.000 / 60 = 833 más interés de 416
A 10 años 50.000/120 = 417 más interés de 416

A 15 años 50.000 / 180 = 278 más interés de 416
A 20 años 50.000 / 240 = 208 más interés de 416.

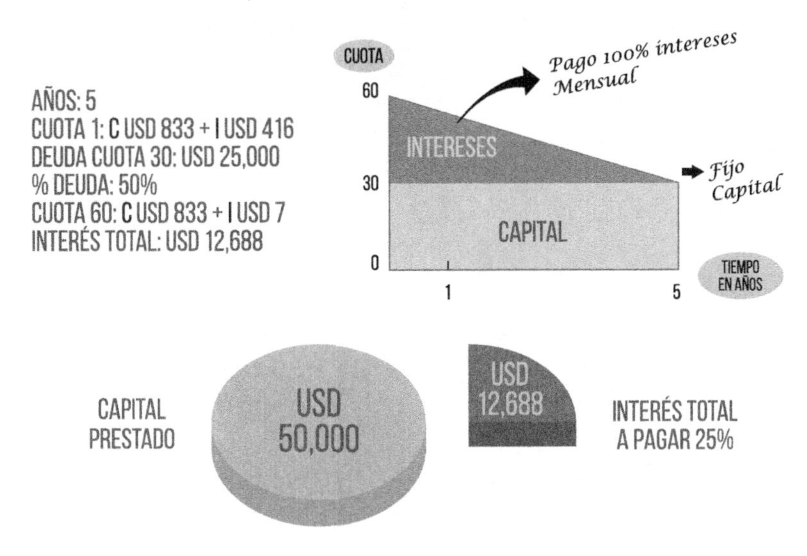


GRÁFICA 10. PRÉSTAMO ALEMÁN A 5 AÑOS

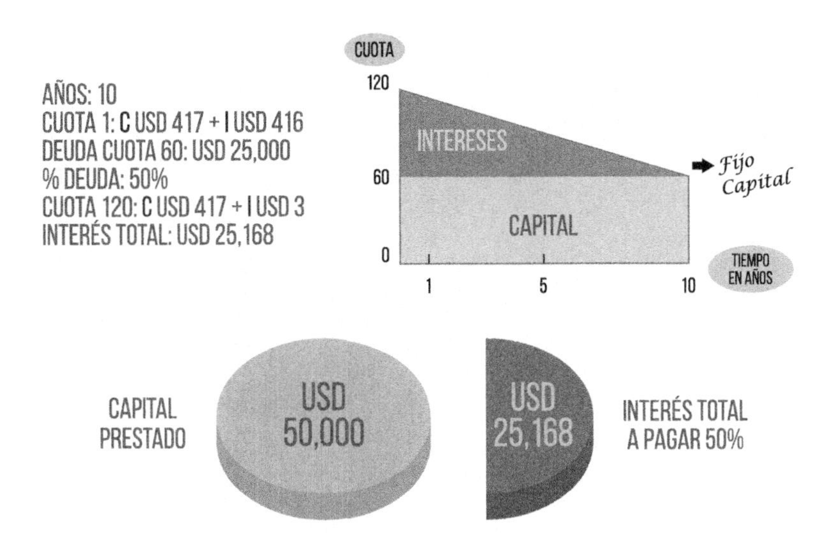


GRÁFICA 11. PRÉSTAMO ALEMÁN A 10 AÑOS

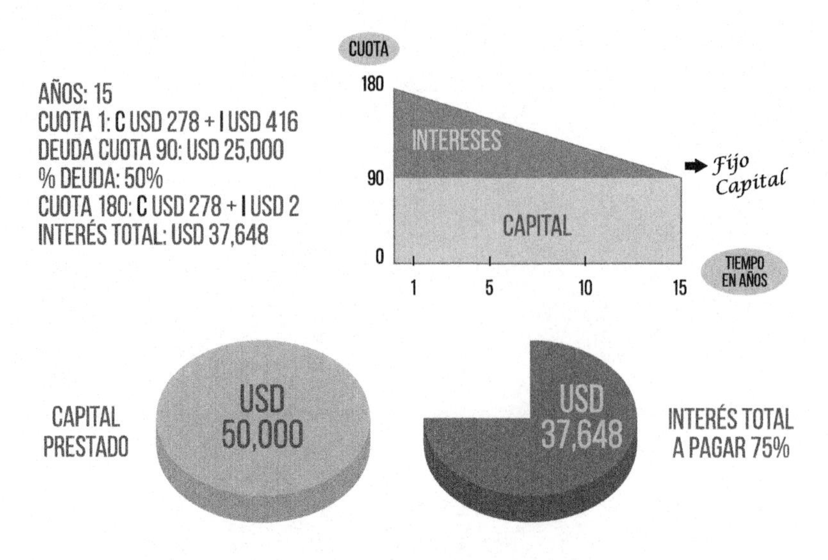


GRÁFICA 12. PRÉSTAMO ALEMÁN A 15 AÑOS

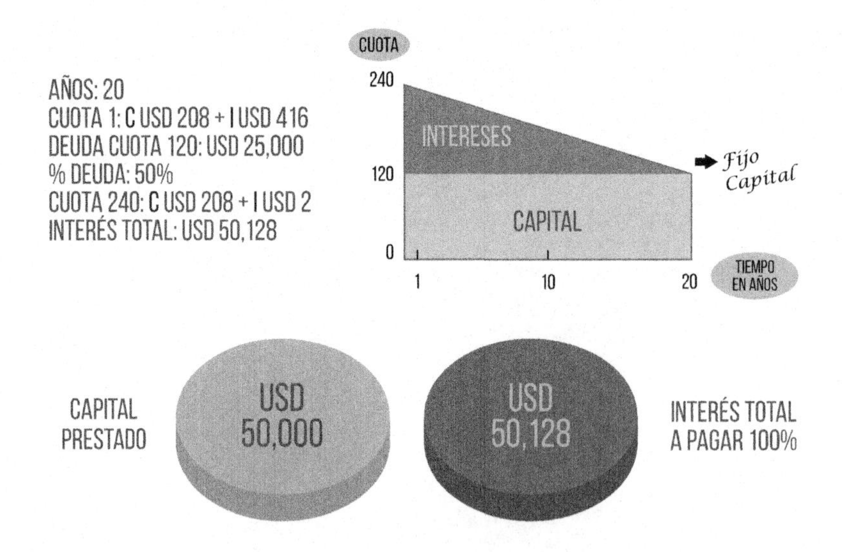


GRÁFICA 13. PRÉSTAMO ALEMÁN A 20 AÑOS

## Observaciones:

- El interés de la primera cuota es el mismo de USD 416. Igual que en el método francés, el banco siempre te cobra el 100% de los intereses, ¡ese es su negocio!

- El abono a capital es siempre el mismo, tanto de la primera cuota, como de la última.
- En la mitad del tiempo se ha pagado la mitad del crédito.

Análisis de intereses totales a pagar por cada crédito:

*Bajo las mismas condiciones de tasa, tiempo y monto hay una diferencia entre métodos*

| INTERÉS TOTAL | | | | |
|---|---|---|---|---|
| MÉTODO | 5 AÑOS | 10 AÑOS | 15 AÑOS | 20 AÑOS |
| FRANCÉS | $ 13,741 | $ 29,290 | $ 46,714 | $ 65,803 |
| ALEMÁN | $ 12,688 | $ 25,168 | $ 37,648 | $ 50,128 |
| DIFERENCIA | $ 1,053 | $ 4,122 | $ 9,066 | $ 15,675 |
| % DIFERENCIA | 8% | 16% | 24% | 31% |

TABLA 5. COMPARACIÓN ENTRE MÉTODOS

Observemos en la tabla anterior que los créditos tienen el mismo interés, tiempo y monto, pero con amortizaciones diferentes. En ambos sistemas siempre se paga el 100% de los intereses en cada cuota sobre el saldo de la deuda. A un tiempo de 20 años la diferencia alcanza un 31% en el interés, una cifra nada despreciable. Los bancos usan casi siempre el método francés para créditos de vivienda, libre inversión, vehículo, libranza, y utilizan para la tarjeta de crédito el método alemán.

Notemos la diferencia entre la primera y la última cuota en cada sistema: en el francés la cuota es fija y en el alemán esta baja cada mes. Al ser la primera cuota más alta en el método alemán los requisitos del banco son más exigentes.

Un banco presta el valor correspondiente a una cuota del 30% de tus ingresos mensuales, por ejemplo: para 10 años en el método francés se requiere un ingreso de USD 2.203 para una cuota mensual de USD 661. Y en el alemán se necesitan USD 2.777 para una primera cuota de USD 883, esto es USD 574 más. El método alemán exige más ingresos, pero el pago de intereses es menor. La elección del mejor método dependerá de la realidad financiera de cada persona en coherencia con su flujo de efectivo mensual.

### c. Interés mensual o método americano

Este método no es tan empleado por la banca para el público en general, solo se utiliza en casos puntuales para empresas, pero en préstamos de la calle, prestamistas, familiares y amigos es el más usado. Se presta el dinero y se realiza el pago mensual solo de los intereses, al final del periodo acordado se paga todo el capital.

También se utiliza en préstamos con respaldo en hipoteca por prestamistas no bancarizados, te prestan un dinero bajo una hipoteca y pagas solo los intereses mensuales hasta el tiempo acordado, momento en el que debes pagar el capital total. La hipoteca da tranquilidad al prestamista, si no se paga la deuda, el prestamista puede hacer uso de su derecho y hasta quedarse con la propiedad.

Son intereses altos y cerca de usura o en usura. Es usual que las personas recurran a estos métodos porque ya tienen agotadas las puertas de los bancos por algún incumplimiento.

*En mi adolescencia trabajaba en una cafetería los fines de semana, me llamaba la atención un hombre que llegaba todos los sábados tipo 9:00 am y se quedaba hasta las 11:00 am, tomaba café y algún snack. Llegaban personas a hacerle fila, yo veía como las atendía y recibía o entregaba dinero y firmaban documentos, entre ellas mi padre, que algún día lo vi hablando con él. Intrigado le pregunté quién era ese señor y me contó la siguiente historia:*

*Es un campesino y solo estudió su básica primaria, trabajaba como cotero, que son aquellas personas que cargan bultos en sus hombros. Requirió iniciar a laborar muy temprano y no pudo concluir sus estudios. Uno de sus primeros trabajos fue cargar bultos de cemento y arena para construir una casa, que en ese momento era la más bonita del barrio. Ahorraba semanalmente, luego empezó a prestar dinero a interés y sobre hipoteca, paso a paso logró hacer un patrimonio importante. Incluso, muchos años después, compró esa hermosa casa para la cual cargó el cemento en sus inicios.*

*En ese momento el señor podría tener unos 65 a 70 años, pero todas esas personas que hacían fila le estaban pagando intereses o estaban pidiendo un préstamo. Es un hombre rico, tiene un patrimonio importante y vive bastante bien. Conoció muy temprano la magia del interés compuesto y lo ha usado a su favor. Convirtió su ingreso en riqueza.*

## Apaláncate en los bancos

Es un buen negocio conocer cómo funcionan los bancos, estos te pueden ayudar con apalancamiento a las mejores tasas del mercado, difícilmente consigues unas mejores tasas que las que te otorga un banco, a menos que recurras a papá, mamá o a la tía beata que no sabe qué hacer con el dinero y confía en ti. Debes hacer del banco tu mejor amigo, pero igual te va a conocer muy bien y el peor enemigo que puedes tener en tu vida es aquel que te conoce muy bien, por lo tanto, NUNCA le falles a un banco. Conócelo y, sobre todo, entérate quién y cómo lo regulan.

> *Usa el banco para apalancarte y producir dinero para ti.*
> *No seas esclavo y generador de ingresos para el banco.*

Cuando desees realizar un préstamo no actúes precipitadamente, debes ponerte bonito para el banco, esto es mejorar tus estados financieros y, sobre todo tu flujo de caja. El banco te otorga un crédito por la capacidad que tienes para producir dinero mensual, es decir, flujo de efectivo, y a partir de ese resultado te presta para una cuota del 30% de tus ingresos mensuales.

## Ponerte bonito para el banco

Recordemos que el término crédito deriva de la palabra creer, es decir, el banco cree o confía en cada persona a quien le otorga un préstamo, y, a su vez, vende un servicio que es el préstamo de dinero a un precio llamado interés.

Cuando requieras la confianza de un banco para recibir sus beneficios debes ponerte bonito para él. Dicho de un modo más pedagógico: hay que mejorar las calificaciones financieras, así como cuando estudiabas en el colegio o en la universidad y te preparabas para un examen con el fin de sacar una muy buena nota, de igual manera, frente al banco, si deseas obtener un mejor monto y una buena tasa de interés, debes mostrar las mejores notas financieras.

Ponerse bonito para el banco está muy relacionado con las centrales de riesgo, y es necesario saber cómo funcionan. Estas son sistemas estadísticos que te evalúan la probabilidad de No Pago, y hacen un análisis intrínseco que corresponde a ti y a tus hábitos de pago y consumo, y uno extrínseco que corresponde a variables externas y de tu entorno.

Variables intrínsecas

- **Hábitos de pago:** es uno de los grandes indicadores de la madurez y responsabilidad en el pago de compromisos. Un buen hábito de pago te genera puntos.
- **Cantidad de créditos:** muchos créditos cerrados sin novedad te dan puntos, pero muchos créditos abiertos al tiempo te quitan flujo de efectivo y te bajan la calificación. Tienen mayor peso los movimientos de los últimos 3 a 6 meses.
- **Tipo de crédito: consumo o inversión:** tener varios créditos de consumo a la vez te quita puntos porque están disminuyendo tu flujo mensual y al mismo tiempo destruyen tu patrimonio. Los créditos de inversión como los hipotecarios afectan tu flujo mensual y tu nivel de endeudamiento, pero con el tiempo te suben puntos porque son un indicador de que estás haciendo patrimonio.
- **Cuotas a pagar cada mes:** el banco te presta sobre una cuota máxima del 30% de tus ingresos mensuales, si ya tienes copado este pago o estás próximo, te señala en riesgo y te baja la calificación.
- **Montos de los créditos:** este indicador puede llevarte a un sobrendeudamiento, que es permitido si la deuda es de inversión, pero si es de gasto baja la calificación.
- **Créditos hipotecarios:** en este caso te otorgan buena calificación, ya que estás haciendo un patrimonio y por cada cuota que abonas haces un capital mayor.

- **Historial crediticio o experiencia con créditos:** tener créditos cerrados satisfactoriamente te da puntos. La antigüedad y la experiencia en diferentes tipos de créditos te favorecen.
- **Número de consultas en centrales de riesgo:** si tienes más de tres consultas en los últimos tres meses te bajan la calificación. Se interpreta que estás solicitando varios créditos al tiempo o que te los han negado.
- **En promedio se calculan los últimos tres a seis meses de tus movimientos**: siempre y cuando no dejes de pagar los créditos. Si faltas con los pagos el banco te castiga negándote sus servicios de por vida o por el doble o más del tiempo que te has demorado en pagar.

<u>Variables extrínsecas:</u>

- Profesión que tienes.
- Región donde vives.
- Empresa o sector en el que trabajas.

La economía global también puede afectar la calificación que recibes de una central de riesgo. Esta puede subir o bajar la calificación, tal es el caso del sector para el que trabajas. Si laboras por ejemplo en el sector textil, petrolero, o de materias primas y hay una sobreoferta a nivel mundial del producto, se esperaría que la empresa y los empleados también sean impactados, lo que conlleva al incremento del perfil de riesgo de la persona que trabaja en ese sector y que busca acceder a un crédito bancario.

<u>Consideraciones para ponerte bonito para el banco con las centrales de riesgo:</u>

- Pagar el 100% de la cuota de la tarjeta de crédito. Normalmente los bancos reportan a las centrales de riesgo con corte al 30 de cada mes, si pagas antes, tu reporte será "pago= USD 0, Saldo= USD 0" y esto mejora tu flujo de caja.
- La tarjeta de crédito es uno de los mejores indicadores del manejo de tus finanzas, compra todo a una cuota, paga puntual y tendrás una excelente carta de presentación.
- Toda relación que tengas con el sistema financiero será visible para el sector, por lo tanto, no ocultes información.

- Tener experiencia te otorga puntos, sobre todo si tienes créditos cerrados sin ninguna novedad.
- El sistema te da puntos si tienes crédito hipotecario, ya que te identifica como una persona organizada y que está haciendo un patrimonio.
- Tener todos los pagos al día y un historial de pago puntual.
- Los análisis de las centrales de riesgo se realizan sobre toda tu historia crediticia, pero el enfoque prioriza los últimos 6 meses.
- Cuando sacas créditos el sistema te baja la calificación cerca de tres meses, ya que esto implica el pago de cuotas. El sistema debe dar tiempo para que tu flujo de efectivo esté acorde con las cuotas y estas sean pagadas a tiempo.

Los bancos utilizan las centrales de riesgo para saber tu historial crediticio y tu calificación en todo el sistema financiero, es como la disciplina y la conducta de los colegios, pero el ente financiero tiene sus propios sistemas de análisis de riesgo en los créditos. La mejor carta de presentación son tus ingresos mensuales y el excedente de efectivo, trabaja en mejorarlo. Tener un saldo positivo en los últimos meses también te ayuda. Como los bancos realizan diferentes análisis, es posible que una entidad te preste y otra no, que una te preste más dinero que otra, o que las tasas de interés sean diferentes entre ellas, por eso es recomendable preguntar en varias de ellas.

El banco pide información para perfilarte: personas a cargo, casa propia o en arriendo, estado civil, empresa donde trabajas, sector de la empresa, profesión, redes sociales, si eres persona pública o influenciador digital, entre otros. Con esta información y mediante estadísticas de perfiles similares y nivel de riesgo analiza tu capacidad de endeudamiento y tu probabilidad de no pago para determinar el monto, la tasa y el tiempo del préstamo. A menor riesgo de pago, menores tasas y más tiempo.

### Análisis y comparación de créditos

Cada vez que vas a solicitar un crédito, el banco está en la obligación de entregarte la simulación proyectada de este. La típica recomendación es adquirirlo con la tasa más baja, pero esto no siempre aplica. Después de más de 20 años haciendo crédito y negociando con los bancos doy las siguientes recomendaciones:

1. Los bancos hablan de tasa de interés nominal y cobran tasa de interés efectiva, para evitar inconvenientes sugiero que el manejo se haga en tasa de interés efectiva; solicitando al banco que te exponga la tasa efectiva anual y la mensual para realizar la comparación.

2. Es común que las personas pregunten cuál es la cuota mensual y se olviden del interés total, la sugerencia es que definan el monto objetivo o el valor del préstamo y luego la tasa, la cuota dependerá del tiempo pactado.

3. Una vez tengas la tasa, pide al banco el valor del seguro de vida por cada mil dólares o una cifra en tu moneda que te permita la comparación. Algunos bancos dan tasas muy bajas (método señuelo), pero los seguros de vida, todo riesgo de vehículo, incendio y terremoto para vivienda son altos.

4. Cuando tengas el valor del seguro procede a cotizar el mismo con un corredor especializado que tiene líneas exclusivas para respaldo de créditos a unos buenos precios. Por ley todo banco está en la obligación de aceptar el endoso de un seguro de otra entidad, siempre y cuando cumpla con las mismas condiciones. Recordemos que cada año podemos pagar un seguro de vida menor, actualizado al monto adeudado cada año, ya que el saldo del crédito baja.

5. Otra clave muy importante es el tiempo del crédito, a más tiempo pagas más intereses, pero tienes una cuota mensual más baja, y viceversa: a corto tiempo pagas una cuota más alta y menos intereses. La recomendación es tomar los créditos al mayor tiempo, pero pagarlos en el menor tiempo posible. Paga siempre la cuota mínima y abona a capital lo más que puedas, dejando el mismo tiempo y bajando la cuota, así mejoras tu flujo de efectivo mensual. Nadie está exento de una dificultad financiera; ante cualquier eventualidad está la posibilidad de pagar

la cuota normal y tener un remanente en tu flujo de efectivo para atender el contratiempo.

Cuando realizas abonos a capital el banco te debe ofrecer varias posibilidades para aplicar al crédito, dentro de las que están:

1. Abono a capital dejando la misma cuota y bajando el tiempo. Se pagan menos intereses.
2. Abono a capital dejando el mismo tiempo y bajando la cuota. Se pagan más intereses que en el anterior, pero se mejora el flujo de efectivo.
3. Pagos anticipados de cuotas. No se logra un pago inferior de intereses.

Debes considerar cuál método te beneficia más, según tu realidad financiera. En mi caso la estrategia que uso es abonar a capital dejando el mismo tiempo y bajando la cuota. Esto me permite disminuir la cuota de los siguientes meses, así mejoro el flujo de efectivo mensual para afrontar cualquier eventualidad; aunque mi compromiso es seguir pagando el crédito en el menor tiempo posible. Si la intención es pagar menos intereses conviene más la opción uno, conservar la misma cuota y bajar el tiempo. Sin embargo, si abonas a capital con el mismo tiempo y bajas la cuota, pero continúas pagando la cuota mínima del préstamo inicial, el comportamiento financiero frente a los intereses a pagar es el mismo en ambos sistemas.

Siempre que tengas créditos paga valores superiores. Por ejemplo, los créditos siempre terminan en centavos USD 877.76, normalmente se paga el valor exacto, pero se paga en dinero físico USD 878 y llenas el formato en USD 877.76. Aproxima a la cifra entera superior es decir USD 880 o USD 900 y llena el documento de pago así, el resto se abona a capital. Recuerda que el dinero que no va al banco se queda en tu bolsillo. No recomiendo los débitos automáticos, ya que en cada cuota deseo abonar más a capital, y con el compromiso el banco debita de mi cuenta y me limita la posibilidad de hacerlo.

Utiliza este consejo mental para motivarte a abonar a un crédito: realiza las cuentas de cuánto cuesta el crédito en total, es decir, capital más intereses en todo el tiempo del mismo. Por ejemplo:

Para un crédito de USD 10´000 a cinco años con una tasa del 18.44% EA, la cuota es de USD 248.52 mensual en cuota fija y el total a pagar es de USD 14´911.54 (Capital + Intereses).

Se regresa el capital prestado de USD 10´000 y un esfuerzo adicional que debo producir de intereses de USD 4´911.54, aproximando a USD 5´000 que es un 50% adicional que pago del préstamo, más el seguro de vida.

<u>Tu motivación personal es que por cada USD 10 que abones a capital dejas de pagarle al banco USD 5 en intereses.</u>

Si el abono a capital lo realizas los primeros meses del crédito y abonas USD 100, dejas de pagar USD 123 en intereses sobre ese dinero en cinco años, lo que se convierte en un excelente negocio para ti.

Es aconsejable ver qué tipo de crédito tienes y qué pasa si pagas antes de la fecha de vencimiento. Como ejemplo una persona que tiene un crédito con vencimiento los 20 de cada mes y tiene pago de su salario el día 30, tiene dos opciones importantes:

1. Dejar la cuota del crédito en su cuenta de ahorros desde el primer día de cada mes hasta el día 20, que es la fecha que corresponde al pago, de este modo tiene un mejor promedio en la cuenta, y esto, a la vez, la hará más atractiva para el banco. Pero consideremos que estará pagando intereses de esos 20 días a la tasa del crédito y el interés que se recibe a la tasa de la cuenta de ahorros es muy bajo.

2. Si paga de inmediato el 1 de cada mes, no tendrá un promedio alto en su cuenta de ahorros (esto solo le importa al banco), pero estará ganando intereses del capital pagado antes de tiempo a la tasa del crédito. Esta es mi recomendación, cuando tengas el dinero paga la cuota y abona a capital lo más que puedas.

Es importante que sepas que cuando haces anticipos a un crédito por norma se pagan primero los intereses sin importar el momento en el cual se haya realizado el pago. El mejor momento para realizar esta estrategia es el día de la fecha de pago, dado que ese día el banco cobra el 100% de los intereses causados a la fecha, y los pagos adicionales se abonan a capital, siempre y cuando no tengas deudas adicionales en el crédito.

Los bancos son empresas con políticas diferentes, lo que aplica en uno, no siempre es la normativa de otros. Con base en mi experiencia de negociación presento este ejemplo: tenía un crédito y la fecha de pago para cancelar la cuota era el día 17 de cada mes, pero yo realizaba el pago el primer día del mes, sin embargo, el banco no aplicaba la cuota hasta el día 17; hice una reclamación y la respuesta fue: "Usted firmó un contrato con aplicación de pagos los días 17 de cada mes, la entidad aplica el pago solo para esa fecha". A partir de ese momento no adelanté el pago, lo hice en la fecha estipulada y en caso de que ese día coincidiera con el sábado o día festivo, realizaba el pago al siguiente día hábil y verificaba que no me cobraran multas, ya que los pagos deben funcionar el día hábil siguiente. Otras entidades, bajo este mismo ejemplo, aplicaban las cuotas desde el primer día del pago, y me permitían ahorrar un dinero. De ahí la importancia de conocer muy bien las políticas de los bancos en el momento de tener por socio a uno de ellos.

# CRÉDITO HIPOTECARIO, ¡NEGOCIO TUYO Y NO DEL BANCO!

Uno de los momentos más gratificantes que se pueden compartir en familia es la compra de la primera casa. En este capítulo obtendrás información para que ahorres dinero en los créditos hipotecarios existentes o por adquirir.

Los créditos hipotecarios para vivienda tienen las tasas más bajas y a más largo plazo del mercado. Es pertinente consultar en varios bancos para encontrar las mejores condiciones del crédito, esta búsqueda la debes hacer con rigor, pues estás adquiriendo un socio para un largo tiempo de 15 a 30 años. Este nuevo socio debe brindarte claridad, confianza y comodidad; es necesario buscar respuestas a cualquier tipo de inquietud o duda antes de depositar tus ahorros en la entidad bancaria.

Considera cada uno de los siguientes puntos para que puedas resultar bonito y atractivo al banco, de tal forma que consigas mejores condiciones comerciales:

1. No hay que apresurarse en llevar la documentación al primer banco que visitas. Reúne información de varios, realiza comparaciones y define cuál ofrece mejores beneficios para ti. Puedes negociar las condiciones, y decir que en otro banco ofrecen mejores tasas y seguros, como eres un cliente potencial, lo más seguro es que con el ánimo de no perderte, van a buscar consentirte y puedes lograr una rebaja en la tasa. Estás comprando un crédito, así que solicita un descuento como lo pediste a quien le vas a comprar la casa. Los bancos tienen más dinero que tú y yo juntos y sí es para una de las negociaciones más importantes de tu vida, hay que lograr el mejor provecho.

2. De acuerdo con el país el banco presta entre el 70% y el 90% del valor del inmueble, pero debes considerar tu realidad financiera, que es tu flujo de efectivo o tu capacidad de producir dinero mensual. El banco te prestará el equivalente a una cuota del 30% de tus ingresos, por ejemplo, si tus ingresos son USD 2.000, el 30% son USD 600 como cuota máxima, siempre que no tengas créditos adicionales, de lo contrario, estos te restan capacidad de endeudamiento. A esto le sumamos el seguro de vida e incendio y terremoto del inmueble, así llegaría a una cuota mensual del orden de USD 670.

A una tasa del 10% EA para una cuota aproximada de USD 600 sin seguros, estos son los montos aproximados que te prestaría el banco en diferentes periodos:

| AÑOS | PRÉSTAMO | TOTAL INTERESES | % |
|---|---|---|---|
| 10 | $ 45,500 | $ 26,654 | 59% |
| 15 | $ 56,000 | $ 52,320 | 93% |
| 20 | $ 62,000 | $ 81, 595 | 132% |
| 25 | $ 66,000 | $ 113,922 | 173% |
| 30 | $ 68,500 | $ 147, 909 | 216% |

Esfuerzo adicional para el pago de intereses

A más tiempo, más intereses; para 30 años se paga más de 2 veces lo prestado

TABLA 6. PRÉSTAMO CON CUOTA DE USD $ 600 A DIFERENTE TIEMPO

Con base en los ingresos mensuales puedes hacerte una idea del monto que te prestará el banco y el tiempo estipulado; además indica la cantidad de interés a pagar según el tiempo elegido. Observa en la tabla anterior el porcentaje del préstamo y la cantidad de intereses. Como se evidencia para 30 años de vida del crédito, se pagará más de dos veces el monto prestado equivalente a 216%.

3. "Ponte bonito para el banco" mejorando tu calificación crediticia, esto tarda más o menos entre 4 y 6 meses antes de pedir el crédito.

4. Antes de solicitar un nuevo préstamo, paga todas las cuotas de los créditos bancarios los 29 de cada mes, dado que los bancos suelen reportar a las centrales de riesgo

con corte al 30, así pasas con *cuota a pagar* de USD 0 en la tarjeta de crédito u otros productos financieros que tengas, esto mejora el flujo de efectivo ante las centrales de riesgo.

5. Solicita las mejores tasas y las condiciones en varios bancos, pero nunca permitas que te busquen en centrales de riesgo porque esto baja la calificación. Solo permite la búsqueda al banco con el cual vas a tomar el crédito.

6. Pide los costos de los seguros de vida y todo riesgo del bien inmueble que cobra el banco. Lleva el valor del seguro a un múltiplo que te permita comparar, por ejemplo, por cada 500 o 1000 dólares cuánto cuesta el seguro y hazlo parte de la comparación. Verifica que el seguro de vida lo puedas actualizar al saldo de la deuda al menos cada seis meses o un año. Conozco bancos que estipulan que el seguro de vida debe ser por el monto desembolsado durante la vigencia del crédito.

7. Solicita los costos totales de tasa, tiempo, amortización del crédito, estudio de crédito, abogado, evaluador, seguros de vida, seguro todo riesgo, cobro de desembolsos, cobros adicionales, entre otros costos ocultos que tenga el banco. Esto lo haces en cada entidad y te servirá como comparación para tomar la mejor opción.

8. Verifica cuáles notarías usa el banco y si puedes pagar las escrituras con tarjeta de crédito. Así puedes tratar de hacer el pago de escrituras el día siguiente de la fecha de corte y ganas 45 días de intereses más las millas o puntos que acumulas.

9. Si es tu primera propiedad, recomiendo que sea un crédito hipotecario y no en Leasing. En crédito hipotecario la propiedad es tuya, en Leasing la propiedad es del banco. Es posible que te ofrezcan con insistencia el Leasing, argumentando que ahorras impuestos, pero si es tu primera propiedad lo conveniente es hacer patrimonio.

10. Es Importante garantizar que tengas la opción de realizar pagos adicionales a capital.

Con toda la información determina cual banco te conviene más, considerando como premisa:

*Dinero que dejes de pagarle al banco, se queda en tu bolsillo.*

Una vez realizado el crédito o antes, procede a endosar los seguros de vida, incendio y terremoto. Existen en el mercado aseguradoras que tienen líneas exclusivas para cubrir los seguros de créditos hipotecarios y son muy favorables. Por legislación en algunos países toda propiedad horizontal debe tener seguro de reconstrucción de la propiedad, el cual lo puedes endosar al banco en proporción al porcentaje del bien.

Es importante que consideres que, aunque pagues dos seguros de incendio y terremoto, uno con la administración de la copropiedad y otro en la cuota mensual del banco, ante un siniestro solo uno de los dos puede hacer efectivo el reconocimiento.

*Cuando tengas un crédito, lo que dejes de pagar en intereses queda en tu bolsillo.*

En las asesorías que brindo, muchas personas comentan con recurrencia que les da vergüenza pedir descuento a un banco en la tasa de interés, realizar endoso del seguro de vida, pedir cancelación de cuota de manejo en tarjetas de crédito, que le entreguen el programa de pagos, entre otros. Debes estar convencido de que es tu dinero, es tu decisión y el banco tiene más dinero que tú y yo juntos, por lo tanto, el compromiso es proteger tu dinero, tu flujo de efectivo, tu patrimonio, tu familia. La persona que te atiende en el banco es un empleado de alguien muy rico y la verdad no le importa mucho tus finanzas, tiene sus propios problemas financieros, su función es atenderte, así que procede.

Vamos a ver un ejemplo de un crédito hipotecario de USD 100.000 a una tasa del 11.57% EA. a 20 años, el comportamiento del crédito es el siguiente:

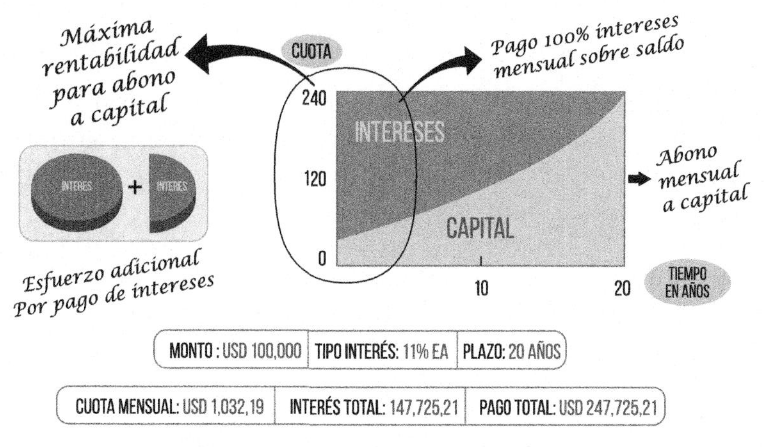


GRÁFICA 14. CRÉDITO A 20 AÑOS MÉTODO FRANCÉS

Fíjate siempre en la cantidad de intereses que corresponden a la vida del crédito, debes concentrarte en esta cifra, ya que tu trabajo será en adelante destinar a su pago lo menos posible. Para el ejemplo, debemos pagar USD 147.725 de intereses, que es un 147% del capital, el esfuerzo adicional es regresar al banco una vez y media la cantidad prestada, por cada dólar prestado debes regresar USD 1.47 adicionales, o con un análisis a tu favor: por cada dólar que abones a capital, dejas de pagarle al banco USD 1.47 dólares de intereses, no es literal, pero desde el punto de vista psicológico es como poner el dinero al 147% En la siguiente gráfica puedes observar la diferencia de la torta entre el capital que te prestan y los intereses a pagar.

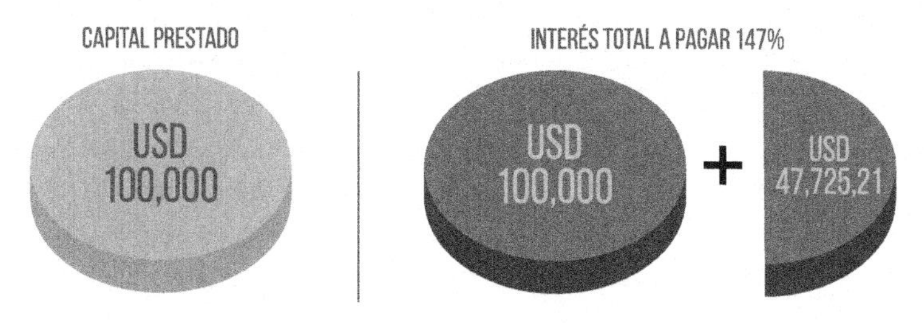


GRÁFICA 15. CAPITAL E INTERESES PRÉSTAMO A 20 AÑOS

Otro análisis en la gráfica de amortización es la aplicación de las cuotas, en las primeras se paga un valor superior a los intereses; los créditos de cuota fija son bajo la amortización francesa, si observas el tiempo de aplicación de capital e intereses, puedes ver que al principio se paga poco a capital y mucho en intereses. En un crédito a 240 meses como este, para la mitad del crédito o sea la cuota 120, solo se habrá abonado a capital el 25%, y se deberá aún el 75%. Podemos concluir que al inicio del crédito resulta beneficioso abonar a capital, entre más anticipes más dinero ahorras.

Vamos a ver en una gráfica cómo es la aplicación de capital e intereses en el préstamo tomando los primeros y los últimos 30 meses del crédito:

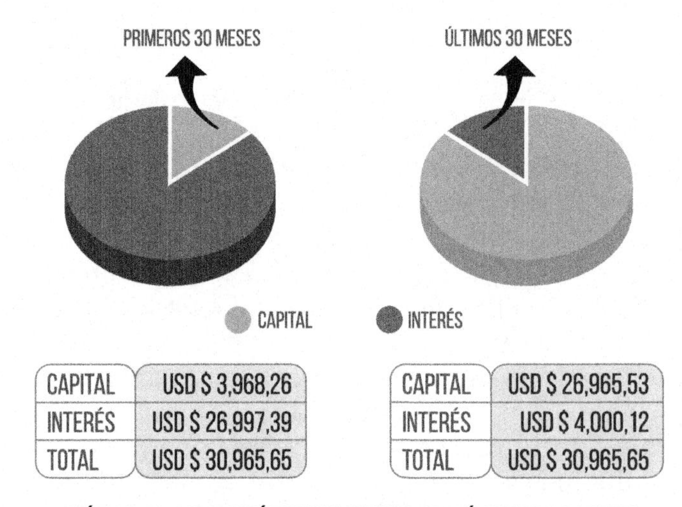


| | |
|---|---|
| CAPITAL | USD $ 3,968,26 |
| INTERÉS | USD $ 26,997,39 |
| TOTAL | USD $ 30,965,65 |

| | |
|---|---|
| CAPITAL | USD $ 26,965,53 |
| INTERÉS | USD $ 4,000,12 |
| TOTAL | USD $ 30,965,65 |

**GRÁFICA 16. APLICACIÓN CUOTA PRIMEROS Y ÚLTIMOS 30 MESES**

Como puedes apreciar en la gráfica, las cantidades se invierten entre los primeros y últimos meses, a pesar de que las cuotas dadas son ambas de USD 30.965,65. Para este ejemplo, la conclusión a partir de esta gráfica es que es más rentable abonar a capital al inicio del crédito que al final, si lo haces en el año uno dejas de pagar intereses por el monto de capital durante 19 años, por lo que se convierte en un excelente negocio para ti.

Estimo que en los créditos de cuota fija, tenemos mayor rentabilidad si abonamos a capital durante el primer 40% del tiempo del crédito.

Saber el valor total de intereses en un crédito hipotecario es muy fácil, solo multiplica el valor de la cuota fija sin seguros por el número de cuotas mensuales restantes, para este caso multiplica:

USD 1.032,19 por 240 meses, eso da el valor total a pagar que es USD 247.725, menos la deuda actual a capital que es de USD 100.000. Ahí tenemos los intereses a pagar durante la vida del crédito de USD 147.725. Nuestro objetivo desde el primer día es pagar lo menos posible de estos porque el capital lo debemos regresar en su totalidad.

Analicemos otra situación con el mismo ejemplo de crédito:

Supongamos que tienes 30 cuotas pagadas, lo que es dos años y seis meses. Faltan por pagar 210 cuotas. Multiplica la cuota mensual de USD 1.032,19 por 210 meses restantes, da un valor de USD 216.759,9 que aún se deben pagar y en el extracto del banco nos fijamos en el saldo a capital restante que es de USD 96.031,74.

Tres conclusiones a partir de la cuota 30 del crédito:

- Después de dos años y medio solo has abonado a capital:
  USD 100.000 - USD 96.031,74 = **USD 3.968.26.**
- Has pagado al banco:
  USD 1.032,19 * 30 = **USD 30.965**.
- Lo que resta por pagar en interés es:
  USD 216.759,9 - USD 96.031,74 = **USD 120.728.**

Aquí puedes ver el comportamiento real de un crédito y lo beneficioso que es abonar a capital al inicio de este. Con este ejercicio puedes simular tu crédito y hacer los correctivos respectivos para que más dinero se quede en tu bolsillo.

Vamos a realizar un análisis de abono a capital en los primeros años del préstamo, tomamos los primeros 30 meses y aproximamos la cuota a USD 1.100 para este tiempo y luego comparamos con el resto del crédito. Vamos a abonar USD 67.81 a capital cada mes, en la cuota 30 este es el comportamiento del crédito, tomando cuatro escenarios:

| ITEM | MÉTODO | INTERÉS TOTAL | AHORRO DINERO | AHORRO TIEMPO |
|---|---|---|---|---|
| 1 | SIN ABONO | $ 147,725,21 | $ 0 | 0 |
| 2 | SÓLO 30 MESES | $ 144,501,76 | $ 3,223,46 | 0 |
| 3 | 30 MESES BAJA TIEMPO | $ 134,882,25 | $ 12,842,96 | 14 MESES |
| 4 | TODO EL TIEMPO | $ 115,996,26 | $ 31,728,95 | 44 MESES |

TABLA 7. AHORROS CON ABONO A CAPITAL DE EXCEDENTE

### Escenarios

1. **Sin abono extra:** este es el crédito pagando una cuota mensual de USD 1.032,19 tal como lo plantea el banco, por 240 meses, no tienes ningún ahorro.
2. **Abono con el mismo tiempo bajando cuota:** pagas USD 1.100 mensuales durante los primeros 30 meses, con aplicación del saldo para abono a capital con el mismo tiempo y bajando cuota. A la cuota 31 le dejas de abonar y la cuota fija para el resto de la obligación de 210 meses es de USD 1.007,15. El abono total extra fue de USD 67.81 x 30 = USD 2.034. El ahorro en intereses es de USD 3.223, dinero que dejarás de pagarle al banco. La cuota para el resto del crédito sería de USD 1.007, un aproximado de USD 25 que se liberan en el flujo de caja mensual por 210 meses.
3. **Abono con la misma cuota bajando tiempo:** pagas USD 1.100 mensuales durante los primeros 30 meses, con aplicación del saldo para abono a capital, la misma cuota y bajando tiempo. A la cuota 31 le dejas de hacer abonos extras y sigues pagando la cuota normal del crédito de USD 1.032,19. Esos USD2.034 que abonas a capital en los primeros 30 meses dejan de generar interés y tienes un ahorro de USD 12.842,96 que no pagarás al banco, adicional a esto, como sigues pagando la cuota normal, terminarás de pagar el crédito 14 meses antes, no serían 210 sino 196 cuotas restantes.

4. **Abono durante todo el crédito con la misma cuota, bajando tiempo:** pagas USD 1.100 mensuales durante todo el crédito, con aplicación del saldo para abono a capital, bajando tiempo, y con la misma cuota. Al final del crédito tienes un ahorro en intereses de USD 31.728,95, y terminas de pagar el crédito 44 meses antes, tres años y ocho meses. Esos USD 67.81 mensuales con abono a capital se multiplican en dinero y tiempo.

Puedes apreciar la diferencia del abono extra solo con un aporte de USD 67,81 mensuales en los primeros 30 meses, e identificar el excelente negocio que es abonar a capital en los primeros meses de un crédito de cuota fija o de modalidad de amortización francesa. En este ejercicio no estamos considerando el seguro de vida que lo puedes actualizar cada seis meses al saldo de la deuda y ahorrarte otro tanto.

El seguro de vida debe ser acorde con el saldo de la deuda, pero los seguros de incendio y terremoto son por el precio del inmueble comprado, y este sí permanece en el tiempo y no depende de la deuda. Para que no se pierda patrimonio en caso de un siniestro puedes considerar aumentar este seguro cada dos o tres años al valor del inmueble para que asegures tu patrimonio.

Los créditos con amortización francesa, que son todos los créditos hipotecarios, vehículo, libre inversión, en general los que tienen cuota fija, tienen comportamientos financieros similares. Considera que en los créditos hipotecarios que son a largo plazo, lo que abones a capital en los primeros años lo liberas de intereses el resto del tiempo. Para el ejemplo que tenemos al monto que abonaste en los primeros dos años, dejas de pagar intereses por 18 años. Así que ¡a apretarse el cinturón! y realizar abonos a capital para que más dinero se quede en tu bolsillo.

Si deseas usar un simulador de los créditos, en internet te lo explican bien, la fórmula de cuota fija con que trabajan los bancos en Excel es:

*=PAGO (tasa, nper, va, [vf], [tipo])*

- Tasa (obligatorio): tasa de interés del préstamo. Debe ser efectiva anual e igual al periodo, si es mensual, o anual.
- Nper (obligatorio): número de pagos del préstamo. Debe ser igual a la aplicación del interés mensual, bimensual, trimestral, semestral y anual.
- Va (obligatorio): monto del préstamo. Como es un préstamo lo ponemos en negativo.
- Vf (opcional): valor futuro después del último pago. Para créditos hipotecarios se pone en 0.
- Tipo (opcional): vencimiento de pagos: 0 = final del período, 1 = inicio del período. Para créditos hipotecarios se debe escribir 0.

| MONTO | $ 100,000 | VA, MONTO DEL PRÉSTAMO |
|---|---|---|
| TASA EA | $ 11,57% | TASA EFECTIVA ANUAL |
| TASA | 0,916667% | TASA MENSUAL |
| TIEMPO | 240 | NPER, PERÍODOS DE PAGO |
| CUOTA | =PAGO(0,916667%,240,-100000,0,0) | |

=PAGO(TASA, NPER, VA, [VF], [TIPO] )

**TABLA 8. APLICACIÓN DE FÓRMULA EXCEL PARA EJEMPLO**

Esto es referente al manejo del crédito, otros consejos que te pueden ayudar son:

- No realices modificaciones, reformas o inversiones en la casa sin antes cancelar la deuda, al inicio del crédito debes estar concentrado en pagarla lo antes posible. No te quedes pagando una propiedad tanto tiempo, págala y una vez la propiedad esté a tu nombre, procede a realizar las reformas necesarias.

- La casa de los sueños no tiene que ser la primera que compres, por flujo de efectivo y consolidación de patrimonio debe ser la tercera o cuarta que adquieras. Considerando que desde que adquieres la primera casa te concentras en pagarla lo antes posible y este tiempo no debe superar los siete años.

- Los créditos de vivienda te piden seguro de vida y seguro todo riesgo con la propiedad, si este se adquiere en pareja, el seguro de vida es proporcional al préstamo de cada uno. Puedes sumar los ingresos familiares y realizar un crédito hipotecario familiar, así mejoras la capacidad de endeudamiento.

- Muchas personas tienen un seguro de vida para proteger a sus seres queridos en caso de fatalidad. Este se puede endosar al banco para cubrir el requisito del préstamo. OJO, se deben considerar las consecuencias respectivas en caso de fatalidad, si se adquiere un seguro de vida adicional o se endosa el seguro de vida existente. Igual la familia queda con un patrimonio representado en la propiedad libre.

- En una vivienda para habitar debes considerar detalles de comodidad, cercanía al trabajo, estudio de los hijos, seguridad, transporte, entorno de piscina, gimnasio, entre otros. En una propiedad de inversión considera rentabilidad, valorización, posibilidad de renta o venta rápida, entre otros.

**¿Cómo decido si abono a capital en un crédito hipotecario?**

Debes verificar una de las inversiones más seguras en el mercado, que son los certificados de depósito a término CDT, ¿Cuánto pagan los bancos por un CDT a un año? Sabes que pones el dinero allí y debes esperar un año a que madure la inversión para recibir tus réditos. Ahora verifica la tasa de interés que estás pagando en tu crédito hipotecario, si llevas el dinero al crédito con abono a capital y disminución de cuota o disminución de tiempo, el ahorro lo tienes ya, no recibes dinero, pero no tendrás que pagar nunca esos intereses al banco. Solamente al comparar las tasas de interés te darás cuenta del ahorro, y este riesgo es mínimo, incluso me atrevo a decir que abonar a capital en un crédito tiene mayor seguridad que un CDT, con el que toca esperar un tiempo.

La tasa del crédito hipotecario es la tasa más baja que se consigue en el mercado a largo plazo, así que es la mejor forma de financiar proyectos con bajo costo financiero a largo plazo.

Si tienes un dinero extra y deseas abonar a un crédito de cuota fija, ten presente esto, por favor subráyalo y recuérdalo para el resto de tu vida:

ABONAR A CAPITAL EN UN CRÉDITO DE CUOTA FIJA (HIPOTECARIO U OTRO), POR LA MISMA ESTRUCTURA DEL CRÉDITO, **ES PONER EL DINERO EN INTERÉS COMPUESTO**, DURANTE EL TIEMPO QUE FALTE PARA SALDAR EL CRÉDITO, CON RIESGO MÍNIMO, EQUIVALENTE AL DE UN CDT O MÁS BAJO.

Si deseas tener utilidades para ese dinero extra, lo mejor es abono a capital, y el ahorro en intereses del mismo es equivalente a poner el dinero en interés compuesto mensual. Si deseas realizar otra inversión con ese dinero, asegúrate de que la rentabilidad sea superior en interés compuesto mensual a la del crédito hipotecario, y el riesgo sea mínimo, equivalente al de un CDT.

# CUARTA PARTE

Te daré pautas para administrar el dinero. Si madrugas todos los días y destinas entre 8 y 10 horas diarias para producir dinero, dedicar una o dos horas semanales para administrar lo ganado, será una inversión más rentable que estudiar para ganar y gastar más.

Tu futuro económico está representado en acumular para una vejez digna y en enseñarles a tus hijos a que tengan independencia financiera para que no te toque compartir tu dinero de jubilado con ellos. En algún momento, y sin darte cuenta, ellos crecieron y salieron al mundo a producir dinero, si les das estudio y los capacitas para ganarlo, que no se te olvide educarlos para administrarlo.

Maneja tu pensión como modelo de negocio, es una gran inversión, si no logras jubilarte o tener ingresos en tu vejez, tendrás que trabajar el resto de tu vida.

# NOTAS Y COMPROMISOS

## ADMINISTRA TU DINERO COMO SI FUERA DE TU JEFE

Cuando inicié con el estudio de las finanzas personales, y al seguir las recomendaciones de varios autores que pedían registrar mis gastos, comencé con una tabla en la que consignaba mis ingresos y gastos. Los gastos los ubiqué en orden de importancia: lo primero en la tabla eran los víveres, luego los servicios públicos, seguidos del arriendo o cuota del crédito de mi casa, el estudio de mis hijos, entre otros. A medida que crecen tus ingresos aparecen otros gastos como carro, seguros de vida, ahorros adicionales para pensión, suscripciones a revistas, salud prepagada, clubes ejecutivos, va creciendo la lista interminable de entidades que quieren nuestro dinero.

Una recomendación básica acerca de las finanzas familiares es hacer un listado de tus gastos mensuales, pide y guarda todas las facturas o recibos, lleva el registro de estos y almacénalos en sobres por meses: un sobre familiar marcado por cada mes con el fin de que todos se acostumbren a solicitar y depositar las facturas allí.

Todos los sábados en la mañana los destino para registrar los gastos, es una cita obligatoria con mis finanzas y mi futuro. Si todos los días dedico tiempo a producir dinero, debo contar de igual manera con el tiempo suficiente para administrar lo que me gano. Anota en tu agenda una cita con tus finanzas cada semana para que inicies el camino de tu libertad, en el que dejes de vender el tiempo por dinero.

Yo inicié con una tabla, a medida que mi conocimiento financiero personal crecía, y palpaba los resultados, iba agregando nuevas tablas, hoy son más de 15 dentro de las que están: Ingresos, gastos, inversiones, pensión, consumos con tarjeta de crédito, impuestos, gastos anualizados, flujo de efectivo anual, presupuesto anual, movimientos bancarios, mi número de la libertad financiera, patrimonio, valorizaciones, deudas, entre otros.

Dentro de este listado hay unas tablas fundamentales, que requieren ser manejadas como una empresa, con seriedad y objetividad para que sean el reflejo o mapa de tu administración financiera, buscando alcanzar tus objetivos financieros a corto, mediano y largo plazo.

El orden de prioridades lo defines de acuerdo con tus necesidades, así mismo, la descripción de estas puede ser genérica o detallada. Recuerda que es tu realidad financiera, tu presente y futuro. Hay que dedicar tiempo a gestionar lo que se gana, esto será más rentable que prepararse para ganar más, sin saber administrar.

A continuación, les presento seis tablas que te permitirán administrar adecuadamente tu dinero como una empresa.

**Tabla 1: Ingresos**

Mis ingresos, es una tabla así:

| INGRESOS | FUENTE | VALOR | FECHA |
|---|---|---|---|
| SALARIO | ACTIVO | $ 1,900 | 1 JUNIO |
| COMISIONES | ACTIVO | $ 1,000 | 10 JUNIO |
| RENTA LOCAL | PASIVO | $ 1,200 | 13 JUNIO |
| RENTA CAMIÓN | PASIVO | $ 800 | 22 JUNIO |
| | TOTAL | $ 4,900 | |

TABLA 9. MUESTRA REGISTRO DE INGRESOS

Para tener en cuenta:

- Registra la fuente de ingreso, el valor y la fecha en que entró el dinero a la cuenta.
- Debes tener registros independientes para cada mes, lleva el registro en un cuaderno a lápiz o en Excel.

- Este es un insumo y debe coincidir con el flujo de efectivo anual (tabla más adelante).
- Te permite mantener un histórico de tus ingresos, visualizar el pasado y verificar que si están creciendo.
- Te ayuda a motivarte para generar varias fuentes de ingreso, en las que debes concentrar tus esfuerzos.

Un banco valora a un potencial cliente por la capacidad de generar dinero mensual, por lo tanto, se debe trabajar en tener varias fuentes de ingresos para no depender de una sola. Los ingresos son una excelente carta de presentación, pero hay que cuidar los egresos o gastos, ya que la diferencia refleja el manejo del dinero. Se puede ser muy bueno generando ingresos, pero pésimo a la hora de administrarlos y ser un destructor de patrimonio. Tu sabiduría financiera será el reflejo de la combinación de las dos acciones: saber generar y administrar lo generado.

En el diagnóstico debemos ser conscientes de nuestra realidad financiera. Analiza las diferentes fuentes de ingresos que tienes y cómo distribuyes tu tiempo. Inicia con un día normal: ¿a qué horas te levantas?, a partir de ese momento estás gastando, aunque en la noche también gastas en tu ropa, en el alquiler o pago de la hipoteca, el agua diaria, transporte, comida, comunicaciones... gastas y gastas, hasta que, finalmente, llegas a tu trabajo en el horario habitual entre 7 y 9 horas diarias, ahí empiezas a producir hasta que sales, para continuar gastando el resto del día, o sea, gastas entre 15 o 16 horas diarias y produces entre 7 y 9 horas al día. Ya tienes una meta en tu vida y es lograr que tus ingresos no tengan el mismo origen.

A veces nos quedamos en la zona de confort, convencidos de que tenemos una fuente inagotable, pero si asistes a un espacio laboral como empleado, o prestas un servicio profesional para tus propios clientes (lo que implica tu presencia para ejecutarse), es necesario lograr otros generadores de ingresos que no dependan 100% de tu tiempo.

Conozco personas que no han realizado las previsiones respectivas y llega el momento del agotamiento de la fuente y quedan desestabilizadas. El caso más común es la pérdida del trabajo; cuando estás entrando a los 45 o 50 años y has estado en la misma empresa, te pones en peligro, ya que se considera que los jóvenes están mejor preparados y laboran por salarios a veces inferiores a los que ya has logrado por tu experiencia. Si eres un profesional independiente: médico, abogado, contador, ingeniero, entre otros, pasa lo mismo, los nuevos profesionales y las tendencias tecnológicas los estarán desplazando. Incluso los negocios o sectores pasan por momentos de crisis.

*Soy de procedencia cafetera, me levanté con el aroma de esas tierras. Al ser Colombia un país productor de uno de los mejores cafés del mundo y una de las insignias exportadoras, mi padre invirtió todos sus ahorros en este sector convencido de que nunca tendría problemas con la venta de su producto.*

*Por varios años disfrutamos las mieles de la abundancia hasta que en los años 90 se rompió el pacto mundial que había entre los países productores y el precio del café bajó a precios de costos de producción y una gran cantidad de cafeteros quedaron en quiebra entre ellos mi padre, que hoy me recuerda que las fuentes de ingreso, por seguras que parezcan, no son eternas*

## Tabla 2: Egresos o gastos

La debemos actualizar al menos cada semana:

| GASTOS MENSUALES JUNIO | | | | | |
|---|---|---|---|---|---|
| SERVICIO | FECHA | ENTIDAD | PRESUPUESTO | PAGADO | FECHA |
| VÍVERES | 10 Y 12 | SUPER | $ 300 | $ 370 | 8 - 18 - 29 |
| SERVICIOS ENERGÍA | LOS 20 | ENERGÍA | $ 75 | $ 73 | 20 |
| SERVICIOS DE AGUA | LOS 5 | AGUAZUL | $ 90 | $ 99 | 5 |
| COLEGIO | 8 DE CADA MES | SCHOOL | $ 300 | $ 300 | 8 |
| DONACIÓN | 15 DE CADA MES | NIÑOS | $ 50 | $ 50 | 15 |
| TRANSPORTE | CADA 10 DÍAS | GASOLINA | $100 | $75 | 8 - 19 - 27 |
| | | TOTAL | $ 915 | $ 967 | |

*Gastos mensuales de sostenimiento*

| INVERSIÓN | | | | | |
|---|---|---|---|---|---|
| SERVICIO | FECHA | ENTIDAD | PRESUPUESTO | PAGADO | FECHA |
| APARTAMENTO | 5 CADA MES | ADMIN | $ 120 | $ 120 | 4 |
| LOCAL | 5 CADA MES | ADMIN | $ 210 | $ 210 | 4 |
| | | TOTAL | $ 330 | $ 330 | |

*Gastos mensuales en las inversiones*

| DEUDAS | | | | | |
|---|---|---|---|---|---|
| SERVICIO | FECHA | ENTIDAD | PRESUPUESTO | PAGADO | FECHA |
| HIPOTECARIO | 17 CADA MES | BANCO | $ 830 | $ 1,000 | 17 |
| TARJETA CRÉDITO | 15 CADA MES | BANCO | $ 300 | $ 300 | 15 |
| | | TOTAL | $ 1,130 | $ 1,300 | |

*Deudas, deben ser de inversión*

TABLA 10. MUESTRA REGISTRO DE GASTOS

Esta tabla está dividida en tres partes: la primera son los gastos básicos mensuales de la familia; la segunda, los egresos de inversión como cuotas de administraciones; y la tercera, las cuotas de los créditos. Habría una cuarta que la dejo a disponibilidad de tu realidad financiera y son los impuestos.

Del registro de gastos puedes desplegar varios seguimientos para planificar mejor el futuro financiero.

- Identifica tus gastos en orden de prioridad.
- Ten presente la fecha típica de pago cada mes, no se te puede olvidar.
- Identifica la entidad a la cual debes pagar.
- Ten un presupuesto estimado de cada gasto, así puedes visualizar cuando superas el límite o cuando está por debajo. Esto lleva a incentivar el ahorro y a aplicar correctivos en el hogar en relación a ciertos gastos inútiles; además de que se puede tener un historial a la mano para comparar con los meses y años anteriores
- Consigna en la fecha real de pago. Esta debe estar alineada con los ingresos, de tal forma que tengas la reserva para el pago con un ingreso esperado o la reserva del dinero para la fecha específica.
- El registro lo puedes hacer tan grande y detallado como desees.
- Será un trabajo de equipo, si compartes este registro con la familia o con quienes convives, resultará de gran utilidad para todos.
- Es fundamental formar a los hijos bajo estos lineamientos administrativos, pueden llegar a tener un valor incalculable en sus vidas futuras.
- Los víveres de junio en este ejemplo se compraron en tres fechas diferentes, y en tres establecimientos distintos, así que en estos casos sumas el total de lo gastado ese mes.
- Debes determinar un presupuesto para donación, sobre todo, si estamos generando suficientes ingresos. Es importante la solidaridad y ayudar a quien lo requiere. Recordemos que es más importante el ser que el tener y acciones como estas hablan de la clase de personas que podemos SER.
- Al tener todos los gastos mensuales, realiza seguimiento para validar que realmente los estés usando, muchas

familias adquieren servicios que dejan de usar, pero siguen pagándolos.

- Verifica los servicios como planes de celular, televisión, datos, música, canales *premium*, revistas, seguros, entre otros; cada seis meses pueden bajar de precio o ser cancelados, dependiendo del uso.
- Ten un presupuesto estimado del 5% de los gastos mensuales para Imprevistos. Siempre tienen la posibilidad de aparecer.
- Debemos tener una fila con un presupuesto para gastos de diversiones familiares o individuales, por cada miembro de la familia. Este dependerá de la realidad financiera, pero no debe ser superior al 10% del ingreso mensual, la recomendación es de 5%, y en lo posible que provenga de ingresos pasivos.

Acerca de los gastos

La lista de gastos debe corresponder con la realidad financiera de cada familia. Registrar mensualmente las fechas de pago, el presupuesto, el valor real pagado, entre otros gastos, ayudará a mantener el control de las finanzas y el dinero no se perderá en antojos. Un día cualquiera sales al centro comercial y encuentras la súper oferta en celulares y buscando aprovechar el descuento, compras un celular que no estaba dentro del presupuesto del mes. Hay que tener presente que si no está incluido en el presupuesto **no se compra**. A todo aquello que se requiera, como un celular, hay que asignarle un valor en el flujo de efectivo del registro mensual, después buscar la mejor opción y realizar la adquisición. No hay que permitirse compras impulsivas; busca manejar el efectivo como si fuera de tu jefe y presentar los informes cada semana, estás trabajando para la empresa de tu vida.

Recordemos que si convivimos en familia todas las personas debemos participar en la elaboración del presupuesto de gastos mensual y asumir el compromiso de usarlo y cumplirlo. Pactar un día para reunirnos y elaborar el registro; cada uno debe entregar los recibos de compra o facturas y entre todos evaluar los gastos y los compromisos de las próximas semanas. Esto es lo que llamo: comité familiar financiero.

Hay gastos fijos que no tienen el mismo valor cada mes, como servicios de energía, acueducto, alcantarillado, gas, gasolina, mercado, entre otros; lo importante es elaborar el presupuesto antes de realizar los pagos, esto permitirá analizar el incremento o disminución de ciertos gastos para acordar estrategias de consumo.

Una de las cosas que llama la atención en el registro, es ver la corta lista de ingresos y la larga lista de gastos. Desde el inicio el objetivo con el registro de nuestras finanzas ha de ser que la lista de ingresos sea mayor y la de gastos se reduzca.

Acerca de las inversiones

En la segunda parte de inversiones se detalla todo lo relacionado con los egresos y gastos de estas: administraciones, impuestos, reparaciones, entre otros, que son costos inherentes al sostenimiento de nuestro patrimonio. Si no tienes inversiones, es hora de empezar a realizarlas.

Acerca de las deudas

En la tercera parte se programan todos los pagos de las deudas, incluidas las de inversión como hipotecas, ve al capítulo de "Crédito Hipotecario, negocio tuyo y no del banco" para ampliar la información. Recuerda que las deudas deben corresponder en su mayoría a inversión y no a gasto.

Al final de cada tabla escribes la sumatoria del presupuesto y lo realmente gastado para las correcciones respectivas de análisis de desviaciones.

Tener claro hacia dónde va tu dinero, registrar tu ingreso activo y establecer su destino, son unos de los principios básicos para mejorar tu vida financiera. Conoce cada peso que ganas: ¿a dónde va?, ¿cuál va a gasto?, ¿cuál a inversión? y recuerda que lo que no se mide, no se puede mejorar.

Muchos gerentes, inspectores de calidad, ingenieros, administradores, economistas, por ejemplo, deben medir y proyectar ventas, producción, consumos, gastos, costos, etc., pero cuando se trata de medir los gastos personales o familiares, que son su futuro, el futuro de sus familias y la estabilidad financiera de su vejez, no tienen idea de cómo hacerlo. En mi vida diaria en el contexto de las finanzas veo a muchos profesionales muy buenos para producir dinero, pero pésimos administradores de sus ingresos.

Hay una tabla anexa que puedes incorporar a ésta, que contiene los gastos no periódicos. Yo uso una tabla anexa donde registro estos gastos y a medida que llega el mes de pago los integro a la tabla de egresos mensuales. Dentro de estos gastos están: impuestos de inmuebles, impuestos municipales y nacionales, seguros con pago anual o semestral, útiles escolares, aniversarios, cumpleaños, presupuesto para vacaciones, entre otros.

Las dos tablas anteriores te muestran el movimiento del efectivo mensual, los ingresos y los egresos, la siguiente tabla proyecta mejor tu futuro y te ayuda bastante en la planeación del efectivo anual.

**Tabla 3: Flujo de efectivo anual**

En esta tabla se proyecta mejor el futuro financiero y la planeación del efectivo anual. Aunque a muchos no les resulte familiar el concepto de flujo de efectivo, en realidad, es muy sencillo y fundamental porque es el mejor indicador del manejo de las finanzas para los bancos; es un requisito indispensable en cualquier compañía o proyecto que se emprenda. Cuando decidí llevarlo a la vida personal, puedo asegurar que para mi vida financiera marcó el antes y el después. Al realizar mi primer flujo de efectivo, logré visualizar una gran cantidad de requerimientos financieros para anticiparme a los gastos y compromisos futuros; ante cualquier eventualidad, será más sencillo tomar decisiones.

El flujo de efectivo personal o familiar puede plasmarse de manera sencilla en una tabla de Excel o puedes hacerlo en un cuaderno cuadriculado con lápiz. En el eje horizontal ponemos el tiempo según tu remuneración (semanal, quincenal o mensual), y en el eje vertical superior los ingresos y en el inferior los egresos. Veamos este ejemplo de flujo de efectivo mensual a un año.

| FLUJO DE EFECTIVO ANUAL | | | | | | | | | | | | | |
|---|---|---|---|---|---|---|---|---|---|---|---|---|---|
| DESCRIPCIÓN | TOTAL | ENE | FEB | MAR | ABR | MAY | JUN | JUL | AGO | SEP | OCT | NOV | DIC |
| INGRESOS | | | | | | | | | | | | | |
| SALARIO 1 | $ 3,600 | $ 300 | $ 300 | $ 300 | $ 300 | $ 300 | $ 300 | $ 300 | $ 300 | $ 300 | $ 300 | $ 300 | $ 300 |
| SALARIO 2 | $ 3,360 | $ 280 | $ 280 | $ 280 | $ 280 | $ 280 | $ 280 | $ 280 | $ 280 | $ 280 | $ 280 | $ 280 | $ 280 |
| ARRIENDOS | $ 2,040 | $ 170 | $ 170 | $ 170 | $ 170 | $ 170 | $ 170 | $ 170 | $ 170 | $ 170 | $ 170 | $ 170 | $ 170 |
| COMISIONES | $ 240 | $ 0 | $ 0 | $ 80 | $ 0 | $ 0 | $ 80 | $ 0 | $ 0 | $ 80 | $ 0 | $ 0 | $ 0 |
| TOTAL | $ 9, 240 | $ 750 | $ 750 | $ 830 | $ 750 | $ 750 | $ 830 | $ 750 | $ 750 | $ 830 | $ 750 | $ 750 | $ 750 |
| EGRESOS | | | | | | | | | | | | | |
| AHORRO | $ 996 | $ 83 | $ 83 | $ 83 | $ 83 | $ 83 | $ 83 | $ 83 | $ 83 | $ 83 | $ 83 | $ 83 | $ 83 |
| GASTOS FIJOS | $ 2,820 | $ 235 | $ 235 | $ 235 | $ 235 | $ 235 | $ 235 | $ 235 | $ 235 | $ 235 | $ 235 | $ 235 | $ 235 |
| DONACIONES | $ 900 | $ 75 | $ 75 | $ 75 | $ 75 | $ 75 | $ 75 | $ 75 | $ 75 | $ 75 | $ 75 | $ 75 | $ 75 |
| DEUDA 1 | $ 9,840 | $ 70 | $ 70 | $ 70 | $ 70 | $ 70 | $ 70 | $ 70 | $ 70 | $ 70 | $ 70 | $ 70 | $ 70 |
| DEUDA 2 | $ 1,960 | $ 80 | $ 80 | $ 80 | $ 80 | $ 80 | $ 80 | $ 80 | $ 80 | $ 80 | $ 80 | $ 80 | $ 80 |
| NO PERIÓDICO | $ 550 | $ 0 | $ 0 | $ 150 | $ 0 | $ 0 | $ 400 | $ 0 | $ 0 | $ 0 | $ 0 | $ 0 | $ 0 |
| AÑO | $ 7,066 | $ 543 | $ 543 | $ 693 | $ 543 | $ 543 | $ 943 | $ 543 | $ 543 | $ 543 | $ 543 | $ 543 | $ 543 |
| TOTAL | $ 17,066 | $ 207 | $ 414 | $ 551 | $ 758 | $ 965 | $ 852 | $ 1,059 | $ 1,266 | $ 1,553 | $ 1,760 | $ 1,967 | $ 2,147 |
| SALDO | $ 7,826 | | | | | | | | | | | | |

TABLA 11. MUESTRA REGISTRO FLUJO DE EFECTIVO

A medida que avanza el año, vamos reemplazando el valor del presupuesto por el valor realmente pagado, si es en un cuaderno modificamos el registro a lápiz, por el valor pagado con tinta o lapicero. Los egresos se encuentran por grupos según nuestra realidad financiera y los consignamos de acuerdo con los egresos de cada mes.

Miremos la columna de enero: los ingresos familiares son USD 750, y los egresos son USD 543, queda un excedente de efectivo en saldo de USD 207, un valor bastante bueno y que puedo gastarme en lo que se me antoje o sumarlo al ahorro de USD 83, o abonarlo a uno de los créditos. Si abono los USD 207 dólares mensuales al crédito 2, en el mes de noviembre pago esa deuda y el flujo de efectivo para diciembre sería de USD 287 porque sumo la cuota del crédito 2 (que ya no tengo que pagar) y se convierte en efectivo disponible. Esto es ponerse bonito para el banco y cuidar una de las mejores cartas de presentación que es la capacidad para generar dinero y tener flujo de efectivo disponible.

La idea es actualizar mensualmente los valores, por ejemplo, a medida que pagas cuotas, el capital baja en los créditos, por lo tanto, debes actualizar la columna del total, que es el valor adeudado del crédito. Esto te permite identificar que si te sobra dinero al final del mes no corres a gastarlo, sino que tienes deudas y puedes abonar a capital y ahorrarte un dinero en intereses.

En este flujo de efectivo se visualiza cómo vamos a distribuir nuestro dinero en cada día de pago, además puedes anticiparte a las obligaciones financieras y realizar las reservas respectivas. Algunos ejemplos de obligaciones que no son periódicas y que un flujo de efectivo nos permite visualizar y tomar las previsiones necesarias son pagos de impuestos inmobiliarios, impuestos del carro, impuestos al gobierno, útiles escolares, seguros de carros, seguros de salud, seguros de propiedades, aniversarios, vacaciones, cumpleaños, celebraciones, entre otra cantidad de compromisos.

Involucra a la familia para que sea partícipe en la construcción de los compromisos financieros y para que juntos definan las metas para llegar a un ahorro con algún fin específico. Si acuerdan, por ejemplo, bajar el porcentaje de consumo de energía, se estarían ahorrando en el año un monto que puede llegar a ser significativo para invertirlo en unas vacaciones, ir al cine o, inclusive, reembolsar a cada uno ese dinero. Este ejercicio se convierte en algo divertido y para los que tenemos hijos les estaremos otorgando un aprendizaje invaluable para el futuro de sus finanzas.

El flujo de efectivo te permite ver que hoy te sobró un dinero, pero el próximo mes debes realizar un pago no periódico y lo mejor es guardar ese excedente para tal fin, o pagarlo de una vez, de ser posible. Así ese dinero no se traduce en un antojo o anticipo de un deseo y va directo a un compromiso financiero. También puedes visualizar cuál periodo tiene mayores obligaciones que no alcanzan a ser cubiertas por tu flujo normal mensual y debes adquirir un préstamo o realizar las previsiones necesarias para ese momento, de tal forma que no estarás ese mes realizando gimnasia financiera para poder respaldarlas.

El flujo de efectivo lo puedes hacer también para tus compromisos a corto plazo, te recomiendo que lo hagas a un año. Yo lo manejo anual y destino un día de la primera semana de diciembre para proyectar el próximo año, así al 31 de este mes cuando estoy realizando los compromisos de año nuevo, sé con exactitud cuánto debo producir durante el año para tener unas finanzas sanas.

| FLUJO DE EFECTIVO ANUAL | | | | | | | | | | | | | |
|---|---|---|---|---|---|---|---|---|---|---|---|---|---|
| DESCRIPCIÓN | TOTAL | ENE | FEB | MAR | ABR | MAY | JUN | JUL | AGO | SEP | OCT | NOV | DIC |
| INGRESOS | | | | | | | | | | | | | |
| SALARIO 1 | $ 3600 | $ 300 | $ 300 | $ 300 | $ 300 | $ 300 | $ 300 | $ 300 | $ 300 | $ 300 | $ 300 | $ 300 | $ 300 |
| SALARIO 2 | $ 3360 | $ 280 | $ 280 | $ 280 | $ 280 | $ 280 | $ 280 | $ 280 | $ 280 | $ 280 | $ 280 | $ 280 | $ 280 |
| ARRIENDOS | $ 2040 | $ 170 | $ 170 | $ 170 | $ 170 | $ 170 | $ 170 | $ 170 | $ 170 | $ 170 | $ 170 | $ 170 | $ 170 |
| COMISIONES | $ 240 | $ 0 | $ 0 | $ 80 | $ 0 | $ 0 | $ 80 | $ 0 | $ 0 | $ 80 | $ 0 | $ 0 | $ 0 |
| TOTAL | $ 9, 240 | $ 750 | $ 750 | $ 830 | $ 750 | $ 750 | $ 830 | $ 750 | $ 750 | $ 830 | $ 750 | $ 750 | $ 750 |
| EGRESOS | | | | | | | | | | | | | |
| AHORRO | $ 996 | $ 83 | $ 83 | $ 83 | $ 83 | $ 83 | $ 83 | $ 83 | $ 83 | $ 83 | $ 83 | $ 83 | $ 83 |
| GASTOS FIJOS | $ 2,820 | $ 235 | $ 235 | $ 235 | $ 235 | $ 235 | $ 235 | $ 235 | $ 235 | $ 235 | $ 235 | $ 235 | $ 235 |
| DONACIONES | $ 900 | $ 75 | $ 75 | $ 75 | $ 75 | $ 75 | $ 75 | $ 75 | $ 75 | $ 75 | $ 75 | $ 75 | $ 75 |
| DEUDA 1 | $ 9,840 | $ 70 | $ 70 | $ 70 | $ 70 | $ 70 | $ 70 | $ 70 | $ 70 | $ 70 | $ 70 | $ 70 | $ 70 |
| DEUDA 2 | $ 1,960 | $ 80 | $ 80 | $ 80 | $ 80 | $ 80 | $ 80 | $ 80 | $ 80 | $ 80 | $ 80 | $ 80 | $ 80 |
| NO PERIÓDICO | $ 550 | $ 0 | $ 0 | $ 150 | $ 0 | $ 0 | $ 400 | $ 0 | $ 0 | $ 0 | $ 0 | $ 0 | $ 0 |
| AÑO | $ 7,066 | $ 543 | $ 543 | $ 693 | $ 543 | $ 543 | $ 943 | $ 543 | $ 543 | $ 543 | $ 543 | $ 543 | $ 543 |
| TOTAL | $ 17,066 | $ 207 | $ 414 | $ 551 | $ 758 | $ 965 | $ 852 | $ 1,059 | $ 1,266 | $ 1,553 | $ 1,760 | $ 1,967 | $ 2,147 |
| SALDO | $ 7,826 | | | | | | | | | | | | |

TABLA 12. MUESTRA REGISTRO INFORMACIÓN FLUJO DE EFECTIVO

## Beneficios de proyectar un flujo de efectivo a corto plazo

1. Te permite visualizar y anticipar ingresos que no son periódicos, como comisiones, dividendos, primas, pagos extras, entre otros.
2. Permite que te anticipes a pagos que no son periódicos, en una tabla así, sabes por ejemplo, que en marzo requieres un dinero extra para el pago de impuestos y lo proyectas en el flujo de efectivo para disponer de dicho dinero.
3. Sabrás desde el 1 de enero cual va a ser tu ingreso durante el año en condiciones normales para planificar los gastos básicos de la familia y proyectar inversiones.

4. Esta cifra, que debe ser positiva cada mes, es un indicador del buen manejo de las finanzas personales, es el resultado del ingreso menos el egreso mensual, es el dinero que dispones para inversión. Lo primero es hacerla positiva y lo segundo, incrementarla. Debes asegurar que cada mes este dinero se acumule en tu saldo, si no lo destinas para abonar deudas. Si lo llevas al ahorro, asegúrate de que el interés sea mayor que el que estás pagando por tus créditos, de lo contrario, lleva ese saldo mensual a pagar créditos.
5. A los ingresos de cada mes, les restas los egresos de ese mes, esto te da el efectivo disponible mensual (750-543=207). Sumas al siguiente mes el excedente o restas el faltante, debes garantizar que esta cifra sea positiva. Si tienes excedentes mensuales y no tienes compromisos para los siguientes meses, la recomendación para que no se convierta en dinero de antojos, es llevarlos directo al pago de los créditos con el mismo tiempo, de este modo, baja la cuota. Esto permite que liberes efectivo. Por ejemplo: si llevas los USD 207 que sobran cada mes a uno de los créditos con el mismo tiempo y bajas la cuota, libras un valor mensual.
6. Esta cifra también me encanta tenerla presente en mi flujo de caja, ya que me indica lo que debo producir anualmente para tener mis necesidades básicas cubiertas. Por "bueno" o "malo" que sea el año debes producir esta cifra mínima para estar tranquilo. También la puedes usar como meta para bajar los gastos anuales en un porcentaje. Considera que en esta cifra no están los montos totales de las deudas, solo las cuotas durante el año.
7. Lo primero que debes hacer cuando llega el dinero es ahorrar y como es mínimo el 10% de tus ingresos, el total anual es del orden de USD 9.240 para este ejemplo. Lleva al ahorro mensual USD 83 que equivalen al año a USD 996. Este ahorro lo debes disponer para imprevistos, destinación específica o aportes de capital de inversiones futuras. Es un valor fijo que se retiene antes del salario y no cuentes con él.
8. Esta cifra es el consolidado anual de ingresos menos los gastos y saldo de deudas totales, te permite tener presente que no significa que el dinero sobre cada mes,

indica el nivel de endeudamiento que tienes y que uno de los objetivos debe ser amortizar y bajar esas deudas.
9. Es un deber compartir con otras personas los beneficios que tenemos y que otros por diferentes razones no tienen.
10. Indica el valor total requerido para todo el año para quedar con cero deudas. Es la sumatoria del presupuesto anual de gastos y las deudas totales. Esto te recuerda que tienes deudas y que no te sobra dinero mensual. Esta cifra debe bajar cada mes.

La segunda columna: TOTAL indica el dinero anual que debes destinar en cada rubro. A medida que va pasando el año, vas reemplazando cada mes, y las cifras irán cambiando acorde con tus manejos financieros, así vas llevando control de tus metas financieras para un cabal cumplimiento. Si vas en marzo, las sumas totales solo hacen referencia a los meses restantes del año y ya no incorporan los meses de enero y febrero.

En la parte inferior del flujo de efectivo visualiza lo que debes tener en caja o en efectivo al final de cada periodo. La idea es que el flujo de efectivo personal no sea escrito en piedra, por eso recomiendo hacerlo en Excel, o tenerlo a lápiz, de tal forma que a medida que avanza el tiempo lo puedas actualizar. Es muy común que algunos pagos cambien de valor o se puedan aplazar o eliminar.

## Recomendaciones para el manejo del flujo de efectivo

1. Elaborar la proyección del flujo de efectivo mínimo a un año.
2. Destinar en la agenda mensual al menos una hora para la actualización.
3. En esta tabla 3, vas consignando lo de las tablas 1 y 2 anteriores, pero con proyección a un año, verificando que los presupuestos se cumplan.
4. Monitorear continuamente el saldo para identificar el mes que estará en rojo, para tomar los correctivos con tiempo.

5. Maneja todo como presupuesto anual. Así puedes visualizar esos pequeños compromisos de USD 10 mensuales, que representan en realidad un presupuesto de USD 120.
6. Cuida el flujo de efectivo, esta es tu mejor carta de presentación ante un banco.
7. Desiste de todo compromiso mensual que reste capacidad de efectivo disponible.
8. Abona a tus créditos y págalos antes de su vencimiento, ese dinero que pagarías en intereses se queda en tu bolsillo y no en el banco.
9. Si madrugas todos los días a producir dinero, haz un compromiso adicional mensual para actualizar la tabla de flujo de efectivo, los insumos ya los tienes.
10. Una empresa maneja un objetivo de ventas anuales, tú debes manejar tu objetivo de ingresos anuales.

> *Si tu ingreso mensual no te alcanza hasta final de mes, eres un mendigo con salario. ¡Sal ya de la mendicidad!*

### Tabla 4: Pasivos o deudas

Esta tabla es la misma tabla del capítulo "Estrategias para pagar menos y más rápido las deudas":

| DEUDA | TIPO | MONTO | TASA EA | TIEMPO | SEGURO | EXTRAS | INTERESES | COSTO TOTAL | INDICADOR |
|---|---|---|---|---|---|---|---|---|---|
| TC 2 | GASTO | $ 1,400 | 20% | 36 | $ 0,0 | $ 5 | $ 378 | $ 558 | 1,1% |
| UNIVERSIDAD | INVERSIÓN | $ 3,000 | 16% | 60 | $ 90 | $ 3 | $ 1,377 | $ 1,647 | 0,92% |
| TC 1 | GASTO | $ 3,500 | 18% | 36 | $ 0,0 | $ 5 | $ 844 | $ 1,024 | 0,81% |
| VACACIONES | GASTO | $ 4,000 | 15% | 36 | $ 72 | $ 0 | $ 991 | $ 1,063 | 0,74% |
| CARRO | GASTO | $ 28,000 | 12% | 84 | $ 2,352 | $ 0 | $ 13,519 | $ 15,871 | 0,67% |
| CASA | INVERSIÓN | $ 170,000 | 8% | 240 | $ 20,400 | $ 0 | $ 171,267 | $ 191,667 | 0,47% |
| | TOTAL | $ 209,000 | | | | | | | |

TABLA 13. MUESTRA REGISTRO DE DEUDAS

Esta tabla te permite:

- Identificar cuál es la deuda más costosa, la resaltas y procedes a realizar abonos extras a capital para cancelarla.
- Recordar que al final del mes no te sobra dinero y siempre tendrás una deuda a la cual abonarle.
- Identificar si tus deudas son más de gasto o inversión para realizar los ajustes necesarios.
- Verificar los valores de los seguros y analizar si los puedes endosar.
- Tener presente la deuda total que tienes y tu objetivo debe ser bajar ese valor lo más rápido posible.

## Tabla 5: Activos

En esta tabla vas a estar pendiente de tus inversiones y cómo van construyendo o destruyendo tu patrimonio.

| ACTIVOS | | | | | |
|---|---|---|---|---|---|
| BIEN | FECHA COMPRA | VALOR COMPRA | VALOR ACTUAL | RENTA MENSUAL | RENTABILIDAD |
| APARTAMENTO | 8/06/2015 | $ 170,000 | $ 180,000 | $ 0 | 5,9 % |
| LOCAL | 24/10/2018 | $ 80,000 | $ 82,500 | $ 500 | 3,1 % |
| CARRO 1 | 6/04/2016 | $ 31,000 | $ 26,000 | $ 0 | -16,1 % |
| CARRO 2 | 6/04/2017 | $ 24,000 | $ 15,000 | $ 0 | -37,5 % |
| | TOTAL | $ 305,000 | $ 303,500 | $ 500 | -0,49 % |
| | | RENTABILIDAD | 0,16 % | | |

TABLA 14. MUESTRA REGISTRO ACTIVOS

No tienes que limitarte a las tablas que te planteo, pero te aseguro que servirán para tener planes a mediano y largo plazo. En esta tabla vas a plasmar tus inversiones, todo aquello que tiene un valor monetario para la familia, este es solo un ejemplo, pero debes considerar: acciones, cuentas de depósito a término fijo, casa de recreo, ahorros, joyas, préstamos que hayas realizado, entre otros.

Identificar la fecha de la operación, el valor de compra, el valor actual, si genera ingresos y la rentabilidad del bien, te deja ver cuáles activos están sumando o restando a tu vida financiera. Para el ejemplo encontramos que los carros restan patrimonio porque cada día bajan su precio, pero la propiedad raíz se valoriza, es esa inversión silenciosa que va sumando a tu patrimonio cada día.

Esta tabla es la medida de tu riqueza real, la debes monitorear al menos cada tres meses para validar el crecimiento de tus resultados y verificar si está alineada con el índice de riqueza que vimos en el capítulo "Quién soy financieramente".

## Tabla 6: Pensión

Para completar las tablas que considero más relevantes para la administración de las finanzas familiares como una empresa, te presento la tabla para la pensión. En estas debes ubicar cada pago que realizas y tener claro todo tu historial laboral, te ahorrará muchos dolores de cabeza.

| PENSIONES OBLIGATORIAS | | | | | | | |
|---|---|---|---|---|---|---|---|
| INICIO | FIN | SALARIO | APORTE | DÍAS | SEMANAS | EMPRESA | FONDO |
| 1/06/2002 | 10/06/2005 | $ 800 | $ 4,608 | 1,105 | 157,86 | EMPRESA 1 | ISS |
| 1/08/2005 | 1/07/2010 | $ 1,500 | $ 14,400 | 1,795 | 256,43 | EMPRESA 2 | ISS |
| 1/08/2010 | 1/03/2018 | $ 2,300 | $ 35,328 | 2,769 | 395,57 | EMPRESA 3 | ISS |
| 1/04/2018 | 31/08/2019 | $ 2,900 | $ 5,568 | 517 | 73,86 | EMPRESA 4 | ISS |
| | | | $ 59,904 | 6,186 | 883,71 | | |
| | | TOTAL SEMANAS | | 883,7 | | | |
| | | TOTAL AÑOS | | 17,2 | | | |
| | | RESTO AÑOS | | 8,1 | | | |

Tener claro cuántas semanas o dinero ahorras, y actualizar mínimo una vez al año

TABLA 15. MUESTRA REGISTRO PENSIÓN

Debes tener al menos la siguiente información: fecha de inicio y fin de cada trabajo, el salario en cada periodo, el aporte que realizaste para tu pensión, los días y semanas que cotizaste, la empresa donde laboraste y el fondo de pensiones al que llevaste el dinero. Con esta información sumas cuántas semanas llevas trabajadas y determinas cuántas te faltan para pensionarte.

Este documento te ahorrará mucho tiempo y dinero, si lo tienes claro. Muchas personas al pasar el tiempo no recuerdan las fechas y tiempos en que laboraron en las compañías y se les pierden semanas y dinero abonado por no tener registro. La tabla de pensiones la debes revisar al menos cada año y actualizarla, en ella se registra el respaldo para tu vejez.

Estas seis tablas, te permiten controlar el presente, planificar el corto plazo de tus finanzas y prepararte para el largo plazo con la pensión.

**Resumen de las tablas:**

- El día a día lo controlas con las recomendaciones del capítulo "Descubre los destructores de patrimonio en tu vida" y a las tablas 1 y 2 debes dedicarles mínimo una hora cada semana para el control de tus gastos mensuales.
- Con la tabla 3 planificas el mediano plazo con un flujo de efectivo a un año y lo debes actualizar cada mes.
- Con las tablas 4 y 5 controlas las deudas y mides si realmente estás haciendo un patrimonio.
- La tabla de deudas la debes revisar mínimo cada mes y la de activos al menos cada tres a seis meses.
- La tabla 6 que es tu futuro, el largo plazo, la debes actualizar al menos cada año. Este control y seguimiento te permitirá saber cómo están las finanzas de la familia, tomar correctivos oportunos, en el presente, mediano y largo plazo financiero.
- Si tienes tiempo para producir dinero y dedicas ocho horas diarias para ello, tienes tiempo para administrar adecuadamente el dinero ganado y dedicar a ello una hora al menos cada semana, tu jefe te pedirá el reporte semanalmente.

## AHORRA COMO AHORRAN LOS RICOS

No es un secreto que el ahorro está destinado para un bienestar futuro. Todos de alguna forma ahorramos e invertimos en ello; desde que iniciamos estudios estamos invirtiendo tiempo y esfuerzo para mejorar nuestra calidad de vida. Primero trabajamos y luego nos pagan por esa labor, en otras palabras, primero sembramos y luego recogemos la cosecha.

Cómo vamos a trabajar en mejorar nuestra vida financiera, es conveniente tener claro que primero ahorramos y luego invertimos y que ambos conceptos no son lo mismo. Ahorrar es guardar un dinero de tu ingreso mensual, sea para un objetivo específico de gasto o inversión futura, como ir de vacaciones o para la cuota inicial de nuestra primera casa. Invertir es tomar un dinero existente ahorrado o prestado y ponerlo a producir, para adquirir más. Por ejemplo: la compra de una propiedad que se va a rentar.

¡Págate primero a ti mismo! Es lo mejor que podemos hacer, por eso algunos fondos de empleados son tan exitosos: porque descuentan el ahorro sobre tu nómina y así lo que te llega es lo que dispones. Esta es una estrategia muy buena para ahorrar, siempre que llega tu nómina o ingreso lo primero que debes hacer es deducir el ahorro y contar con el resto para tus necesidades, eso es PÁGATE A TI PRIMERO.

La recomendación es ahorrar mínimo el 10% del ingreso, si puedes ahorrar más dinero, ¡ADELANTE! Entre más ahorres más rápido llegas a la meta. El siguiente paso es conservar ese dinero donde no tengas acceso a él fácilmente, dado que se vuelve una tentación terrible gastarlo en lo que no deberías a medida que este fondo crece. Y más que pensar a dónde llevarlo, debes fortalecer tu personalidad en la autoestima financiera, en poner claro tus objetivos para que ese ahorro no se vuelva presa fácil de algún gasto o antojo no importante.

Puedes llevar el ahorro a un CDT de tres a seis meses y sumarle lo ahorrado cada periodo, ponerlo en una fiducia, guardarlo en un sitio de difícil acceso, pon a correr tu imaginación y creatividad para situar ese dinero en un lugar que debe cumplir al menos estas tres recomendaciones:

1. Que el acceso a los mecanismos para ahorrar el dinero sea fácil y sencillo.
2. Que el trámite para retirar el dinero sea difícil y engorroso, además, que debas hacer un esfuerzo en tiempo para acceder a él.
3. Que sea un lugar seguro, que no dependa de los vaivenes del mercado, ni presente riesgo de pérdida total.

El ahorro debe ser el principio de una inversión, pero algunos ahorros los podemos destinar para vacaciones, comprar un carro, remodelar la casa, comprar un electrodoméstico, entre otros.

Uno de los secretos de los ricos es que ahorran e invierten y luego esas inversiones pagan sus gastos, que siempre deben ser adquiridos con dinero ganado y no con crédito.

*Los ricos no ahorran, invierten.*

Los ricos cubren sus gastos de tipo deseo como carro, vacaciones, joyas, tecnologías, entre otros, con dinero generado de sus inversiones; aplazan la consecución de los deseos: primero ahorran, luego invierten y con el flujo de efectivo de esas inversiones pagan esos gastos. Les contaré uno de mis primeros ejercicios de ahorro e inversión.

*En un momento de mi vida con un ahorro que logré comprando dólares el día de pago, acumulé una buena cantidad de dinero, lo puse a trabajar en una inversión con unos amigos durante tres años y me llegó un ingreso por ese negocio. Cada uno con el dinero en la mano empezamos a comentar qué haríamos. Mis tres amigos se compraron cada uno un carro: un BMW, un AUDI y un Chevrolet Dimax. A mí, como padre responsable, lo primero que se me ocurrió fue comprar el seguro de educación para la universidad de mi hija que en ese momento tenía 3 años, cuando me presentaron el plan y realicé el análisis financiero, el dinero ahorrado por 15 años para cubrir la universidad de mi hija era muy similar a tener el dinero en un CDT o certificado de depósito a término fijo y renovarlo cada año. Desistí de esa inversión.*

*Adquirí un préstamo a cinco años y compré una propiedad inmobiliaria que con la renta cubría el préstamo de esos cinco años. Al año seis, una vez pagado el préstamo, con la propiedad libre que me generaba un flujo de efectivo mensual adicional, me encontré con una maravillosa sorpresa: el dinero que tenía seis años atrás estaba ahora representado en una propiedad raíz que valía cuatro veces más del monto inicial, ya que durante los cinco años del crédito la renta pagó la cuota del banco, mi inversión solo fue la cuota inicial. Multipliqué mi dinero por cuatro en seis años. Lo segundo, y más valioso, es que tenía una renta mensual que ya pagaba el colegio de mi hija y me sobraba dinero, y que seguramente pagará su universidad también, eso es inversión.*

*Repasemos lo sucedido con el dinero de mis amigos en esos seis años:*

*El amigo del BMW estrelló su carro a los tres años, el seguro lo dio como pérdida total, al amigo del AUDI se lo robaron a los cuatro años y generó también pérdida total, ambos recuperaron un saldo inferior al que inicialmente tenían, alrededor de 50% inicial. Mi amigo de la DIMAX aún conservaba el carro, pero su precio seis años después podría estar entre 35% a 40% del precio original.*

*Bajo el mismo principio anterior, pude haber aplazado mi deseo de carro nuevo por seis años y hacer que ese ingreso mensual de renta, seis años después, una vez pagado al banco, comprara ese carro de mis sueños. Así en seis años tendría vehículo nuevo y una propiedad como patrimonio.*

*Estas pequeñas decisiones de tener claro lo que es gasto e inversión son las que hacen la diferencia, mis tres amigos destruyeron patrimonio, yo, por el contrario, lo multipliqué y generé flujo mensual, esa misma propiedad, no solo ha pagado el colegio, sino que pagará la universidad de mi hija.*

Esto es lo que deseo para ti: que a partir de un ahorro realices una inversión y generes efectivo mensual. Recuerda que un banco te mide por esto.

El ahorro bien invertido se podrá convertir en una inversión que te dará un flujo de efectivo mensual y te llevará a la independencia financiera, debes ser consciente de que no es fácil y que tampoco es de la noche a la mañana, que deberás capacitarte por muchos años y cuidar cada peso que llegue a tus manos.

## Enemigos del ahorro

Durante el inicio del ahorro nos encontramos con muchos obstáculos. A continuación, te daré algunas pautas para identificarlos. El dinero tiene muchos amigos y no solamente estoy hablando de personas, estoy hablando de cosas, de esas cosas que tu mente desea comprar y las cuales deberás dominar con trabajo, dedicación y convicción. Puedo asegurar que tu principal problema para alcanzar la libertad financiera será controlar tu ego, está en tu interior, así que no culpes las cosas que compras, cúlpate a ti mismo.

La lucha por controlar el ego te estará recordando: que lo mereces, que para eso trabajas, que ¿por qué? tu vecino, amigo, compañero de trabajo sí lo puede comprar y tú no. El ego, inevitablemente, hará que realices compras, que afectarán el flujo de efectivo, destruyendo patrimonio y logrando que desaparezcan los ahorros. Éste es y será el principal enemigo a vencer, así que prepárate.

¿Cómo vencer el ego? Mencionaré algunas pautas que he usado en mi vida y que me han servido bastante, sin embargo, hay que descubrir estrategias propias bajo tu realidad financiera:

1. Siempre que experimentes esa competencia desmesurada a la que nos ha llevado la sociedad de consumo, hazte la pregunta: ¿esa persona que anda a la última moda, con lo último en tecnología, buenas vacaciones cada año, duerme tranquila, tendrá deudas o vive al debe?
2. Fortalece la autoestima, acéptate cómo eres, no requieres aparentar. Que te quieran y te respeten por lo que eres y no por lo que tienes. Vive para ti, para tu futuro y el de tu familia, no para los demás. Esa persona que vive más para aparentar y mostrarle a los demás, debe tener una baja autoestima. ¡Qué vida tan miserable! Que tu felicidad no dependa de lo que piensan los demás de ti.
3. Ten claro tu mapa de los deseos. Es un gráfico con las fotos de todo lo que deseas para tu vida; debe aparecer la imagen del tiempo libre, felicidad, dinero, educación, inversiones, salud, carro, la casa, las vacaciones, entre muchos otros deseos. Ten una foto de tu mapa de deseos en los sitios que te permiten recordarlos todos los días: en el cuarto, celular, descansador de mi PC, en el espejo que miro todas las mañanas, en un portarretrato, entre otros sitios. Esto te permite alinear tus pensamientos con tu objetivo de vida.
4. Lleva siempre un mensaje en tu bolso, cartera o billetera que te recuerde que estás ahorrando para tu futuro, con el fin de no tener la tentación de gastar tu dinero en otros propósitos. Por muchos años mi mensaje en la tarjeta

débito y en mi billetera fue: ES GASTO O INVERSIÓN. Este sencillo ejercicio me ahorró mucho dinero.

5. Compra por presupuesto y no por antojos, así funcionan las grandes compañías. Así debes manejar las finanzas de la empresa más importante del mundo que eres TÚ y tu FAMILIA.
6. El dinero que tienes ahorrado, NUNCA, NUNCA es para prestarlo, así te ofrezcan intereses muy altos, es tu ahorro y el ahorro para tu futuro. Mientras el dinero esté bajo tu dominio tienes el poder, de lo contrario, serás esclavo de él.
7. Aplaza los deseos de compras por cosas que no se valorizan el mayor tiempo posible, siempre será rentable.
8. Usa las promociones solo para adquirir lo que necesitas. Las promociones son destructoras del ahorro cuando adquirimos cosas supuestamente muy económicas, pero que no las necesitamos.

***El único responsable de tu futuro financiero eres tú.***

## Cómo hacer de mis ahorros una inversión rentable

El ahorro debe ser el inicio de una gran inversión. A continuación, te voy a explicar cómo se realizan inversiones con los ahorros en propiedad raíz. Te pondré un ejemplo de un negocio de algunas de mis asesorías.

Una persona me dice que tiene USD 25.000, los cuales logró con un ahorro mensual de USD 200, ¿Qué hago con ellos? me pegunta. Procedo a realizarle un cuestionario que tengo:

- ¿Para qué lo ahorras?
- ¿Lo requieres para vivir en los próximos meses?
- ¿Quieres mejorar tu pensión o incrementar tu patrimonio?
- ¿Tienes posibilidad de invertir ese dinero a más de 10 años y disponer de un dinero adicional mensual?
- ¿Puedes continuar ahorrando los USD 200 mensuales?

Con estas y algunas otras preguntas le planteo lo siguiente:

Si inviertes en una propiedad raíz, el banco te presta entre el 70% y 90% del valor de la propiedad, como tienes USD 25.000 y suponiendo un apalancamiento del 70% con el banco, el valor a prestar es del orden de:

((25.000 * 70) / (30)) = 58.333.

El banco te presta USD 58.333, aproximadamente.

Consideremos que el inmueble nos generará una rentabilidad mensual del orden de 0.7% aproximado de la inversión objetivo, para una propiedad de un valor de USD 80.000 (USD 25.000 ahorrado y un préstamo de USD 55.000), esperaríamos una renta mensual de USD 560 (80.000 * 0,007=560).

Usamos la fórmula de rentabilidad:

***RENTABILIDAD (0.007)= (RENTA MENSUAL (560) / INVERSIÓN (80.000))***

Esta fórmula por favor apréndetela si desea ser inversor en propiedad raíz. Defines una rentabilidad, la cual sugiero del orden de 1.5 veces el valor de un CDT. Ejemplo, si un CDT paga al año 5% EA, el valor de la rentabilidad de propiedad raíz debería ser mínimo 1.5 * 5 = 7.5% EA, para no complicarlos, calculemos la rentabilidad mensual lineal, 7.5 / 12 = 0.625% como mínimo, debe ser la rentabilidad mensual de una propiedad raíz para este caso.

Para esta persona que estoy asesorando y que definimos una rentabilidad de 0.7% mensual, en nuestra búsqueda, llegamos a un edificio donde nos pedían por una propiedad USD 83.000, según nuestra rentabilidad definida el inmueble debería tener un alquiler de 83.000 * 0.007 = USD 581 mensual. Yo les pido a las personas que cuando deseen comprar un inmueble para inversión, pregunten por el precio de venta y precio de renta. Procedimos a preguntar en la portería del edificio los precios de los inmuebles en renta y sus características. Los precios de renta estaban del orden de USD 490 y USD 510 para propiedades similares, es decir la rentabilidad estaba del orden de (490/83.000 y 510/83.000) 0.59% y 0.61% mensual, un poco lejos de nuestra expectativa. Utilizando la fórmula de rentabilidad, nos damos cuenta de que la propiedad esta costosa o las rentas están bajas.

La fórmula nos define el precio del inmueble con la rentabilidad definida (0.7%), el valor de esa propiedad debería ser entre (490/0.007 y 510/0.007) USD 70.000 y USD 72.857 máximo para tener la rentabilidad establecida.

Por favor entiende la fórmula de rentabilidad, será muy importante en su vida como inversionista.

Le concedo la asesoría para que sea atractivo para el banco y logre conseguir un préstamo hipotecario de USD 55.000 para la inversión, con una buena tasa de interés al mayor tiempo posible.
Que para una cuota mensual de USD 558, el ingreso mínimo requerido mensual debería ser USD 1.860 (558/0.3). El banco presta un monto máximo a una cuota equivalente al 30% de los ingresos mensuales. Se continuará ahorrando los USD 200, para gastos de escritura. Se logra una tasa del 9% EA, a 15 años, la gráfica del préstamo sería:

PRÉSTAMO: USD 55,000
AÑOS: 15
TASA: 9,38% EA
COUTA FIJA: USD 558
INTERÉS TOTAL: USD 45,413

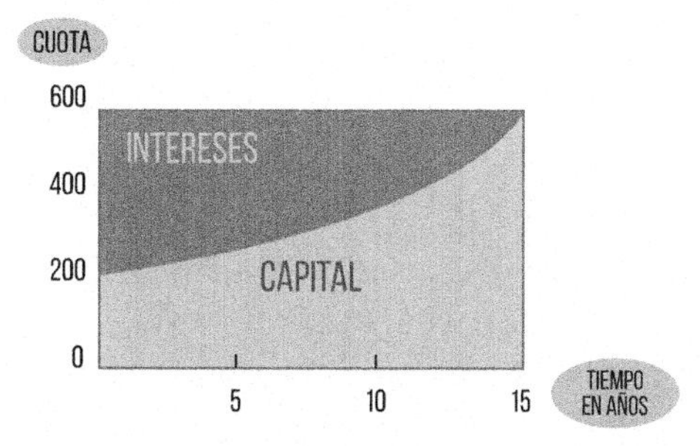


GRÁFICA 17. PRÉSTAMO PARA PROPIEDAD RAÍZ

Como es una propiedad por inversión que puede ser un local, oficina, bodega, apartamento, con un arriendo de USD 560 dólares mensuales, los costos adicionales aproximados para el inmueble y el préstamo son:

- Seguro de vida del crédito USD 0,25 por cada USD 1000. Lo puede adquirir en otra entidad diferente al banco, endosarlo y actualizarlo cada seis meses al valor de la deuda. Este valor tiende a bajar cada seis meses.
- Seguro del inmueble USD 0.2 por cada USD 1000 del valor de este. Si paga administración puede endosar el seguro (para este ejercicio no estamos considerando este pago). Este valor

tiende a estar estable o a tener un incremento muy bajo.

- Impuesto que se paga del inmueble al gobierno. Sube cada año y su incremento es al mismo nivel del incremento del arriendo.
- Presupuesto aproximado para reparaciones del 5% del ingreso mensual.
- Presupuesto aproximado para la vacancia del inmueble del 5% del ingreso mensual.
- Gastos de escritura e hipoteca de 3% del precio, para un valor aproximado de USD 2.400. Un solo valor al inicio de la operación.

| ITEM | DESCRIPCIÓN | ANUAL | MES |
|---|---|---|---|
| SEGURO DE VIDA | USD 0,25 / USD 1,000 | $ 165 | $ 14 |
| SEGURO PROPIEDAD | USD 0,2 / USD 1,000 | $ 240 | $ 20 |
| IMPUESTO | 0,6% DEL VALOR | $480 | $ 40 |
| REPARACIONES | 5% ANUAL DE RENTA | $ 336 | $ 28 |
| VACANCIA | 5% ANUAL DE RENTA | $ 336 | $ 28 |
| | | $ 1,557 | $ 130 |

TABLA 16. GASTOS MENSUALES DE INVERSIÓN EN PROPIEDAD RAÍZ

Este es el comportamiento del crédito y del arriendo, suponiendo un incremento anual del arriendo entre un 2%, 3% o 4%, en los 15 años. La idea es comprar una propiedad cuya renta pague la cuota al banco y los gastos adicionales mensuales.

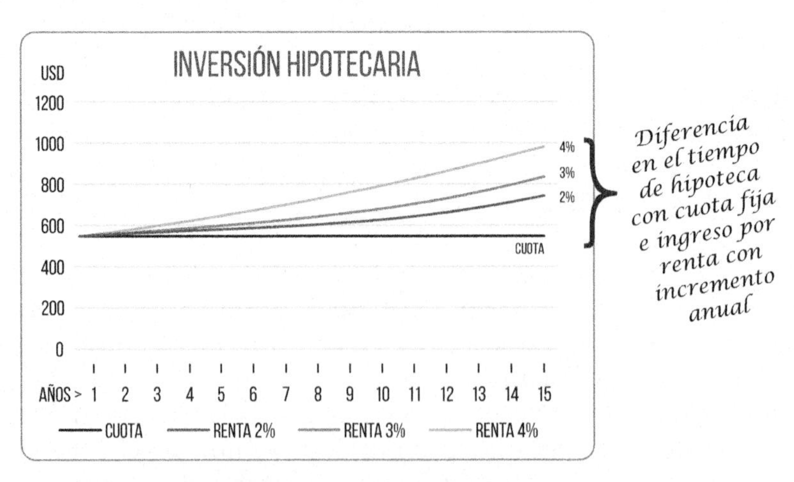


GRÁFICA 18. RENTABILIDAD PROPIEDAD A DIFERENTE INCREMENTO ANUAL

La cuota es fija, pero cada año la renta sube, por lo tanto, cada año tienes un mayor poder adquisitivo. Si realizamos un análisis de la inversión y consideramos que los primeros cinco años el inmueble estará ocupado, y que aportaremos a capital las reservas del 5% de mantenimiento y vacancia con un incremento de renta anual del 3%, sería así:

| | AÑO 1 | AÑO 2 | AÑO 3 | AÑO 4 | AÑO 5 |
|---|---|---|---|---|---|
| CUOTA BANCO | $ 546 | $ 546 | $ 546 | $ 546 | $ 546 |
| OTROS COBROS | $ 74 | $ 74 | $ 75 | $ 75 | $ 76 |
| TOTAL CUOTA | $ 620 | $ 620 | $ 621 | $ 621 | $ 622 |
| INGRESO | $ 560 | $ 577 | $ 594 | $ 612 | $ 630 |
| INVERSIÓN MENSUAL | $ 200 | $ 200 | $ 200 | $ 200 | $ 200 |
| ADICIONAL A CAPITAL | $ 140 | $ 157 | $ 173 | $ 191 | $ 208 |

TABLA 17. FLUJO EFECTIVO PRIMEROS CINCO AÑOS DEL CRÉDITO

En este ejercicio la persona estaba ahorrando USD 200 mensuales, y puede seguir ahorrándolos, aunque para el ejercicio no sería un ahorro, sino una inversión, ya que estaría aportando a capital USD 200 mensuales a un interés del 9% EA, que es lo que está pagando por el crédito. Esto es lo que llamo ahorrar como los ricos, en efecto sigue sacando de su flujo mensual los USD 200 dólares, pero al abonarlos a capital es como si los pusiera al interés de la deuda del 9%EA.

Con esos USD 200 de abono a capital podemos elegir varias opciones:

1. Pago normal, sin abonos a capital.
2. Mismo tiempo y bajar cuota mensual: lo bueno de este método es que mejora el flujo de efectivo mensual, pero paga más intereses.
3. Misma cuota mensual y bajar tiempo: paga menos intereses y paga más rápido el crédito.

En la siguiente tabla puedes ver el significado de esos USD 200 según lo aplicado a capital.

| ITEM | MÉTODO | INTERÉS TOTAL | AHORRO DE DINERO | AHORRO DE TIEMPO |
|---|---|---|---|---|
| 1 | SIN ABONO | $ 43,303 | $ 0 | 0 |
| 2 | MISMO TIEMPO, BAJA CUOTA | $ 29, 568 | $ 13,735 | 41 |
| 3 | MISMA CUOTA, BAJA TIEMPO | $ 24,736 | $ 18,567 | 74 |

TABLA 18. AHORRO TOTAL INTERESES DEL CRÉDITO HIPOTECARIO

En la gráfica identificas el capital prestado y en relación con este la cantidad de interés que pagas en cada caso:

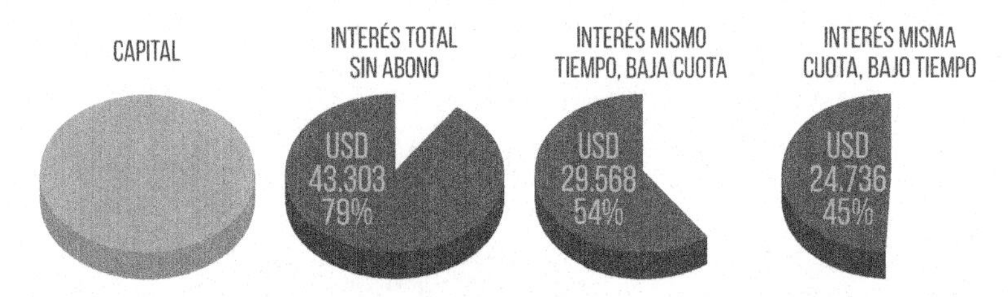


GRÁFICA 19. PAGO DE INTERÉS TOTAL SEGÚN ABONO A CAPITAL

Análisis de la operación:

- La cuota es fija durante todo el crédito.
- La renta sube cada año por la inflación, en la gráfica puedes ver el comportamiento entre 2% y 4% de incremento anual. Para el ejercicio tomamos un 3% de incremento anual. Si es un inmueble comercial este es superior a la inflación y la rentabilidad también aumenta.
- La propiedad después de 15 años podría tener un valor estimado de USD 180.000, con una valorización anual del 6%.
- La inversión inicial fue de USD 27.400, (Sumado los gastos de escritura) quince años después se tienen USD 180.000 sin pagar más, dado que la propiedad se pagó sola.
- Si se realiza abono a capital del flujo extra con el mismo tiempo y se baja la cuota, se paga un interés total de USD 29.568 y se logra un ahorro de USD 13.735. Además, se termina de pagar antes el crédito y se genera un ahorro de

41 meses de cuotas, se paga el inmueble en 11 años y siete meses, a partir de ese momento se empieza a recibir la renta.

- Si se realiza abono a capital del flujo extra con la misma cuota y se baja el tiempo, se paga un interés total de USD 24.736, el ahorro total de intereses es de USD 18.567. Además, se termina de pagar antes el crédito y se percibe un ahorro de 74 meses de cuotas. Se paga el inmueble en 8 años y diez meses, a partir de ese momento empiezas a recibir la renta.
- Este es un flujo de efectivo mensual que llegará al bolsillo del propietario, una vez le pague al banco. Por ese dinero mensual no madrugará todos los días a vender su tiempo.
- La meta debe ser pagarle al banco antes de 10 años, para pagar menos intereses y tener un flujo de efectivo mensual que nos pone más bonitos para el banco.
- Este flujo de efectivo puede pagar los deseos aplazados, como un carro, el viaje de vacaciones, la remodelación de la casa, entre otros.
- Lo más sensato es que una vez se termine de pagar el crédito, uno deba darse un buen regalo de esos de deseo como premio por terminar de pagar esta propiedad y sumar patrimonio a su vida. Destinar por lo menos un año de renta a gastar y comprar esos antojos que aplazaste durante todos estos años. Prémiate: ¡AHORA SÍ TE LO MERECES!

| RENTA 2 % | RENTA 3 % | RENTA 4 % |
|---|---|---|
| USD $ 739 | USD $ 847 | USD $ 970 |

*Ingreso mensual después de pagar el bien*

**TABLA 19. RENTA PROPIEDAD A 15 AÑOS**

El ejercicio anterior lo puedes hacer, ahorras y luego inviertes, eso es trabajar para lograr la libertad financiera. Negocios como este hay cientos en la calle, pero debes estar preparado para verlos y realizarlos. Las oportunidades son para aquellos que están preparados. Este tipo de negocios los estructuro para diferentes personas, a las cuales siempre les pido que el día de la última cuota, por favor, me inviten a celebrar, es un día emocionante, al siguiente mes tendrán un flujo de efectivo y un patrimonio libre para el resto de sus vidas.

## Dos indicadores económicos de tus finanzas

En temas de ahorro e inversión hay dos variables económicas que debes tener presente en tu país, que son:

Inflación: es lo mismo que el índice de precios al consumidor o la depreciación o la pérdida de valor adquisitivo del dinero.

Si tienes USD 1000 el 1 de enero con una inflación del 2%, lo que compras ese día, no es lo mismo que el 31 de diciembre del mismo año, se requiere un 2% más dinero para la misma compra, es decir, necesitas USD 20 más.

Si lo guardas bajo el colchón, el 31 de diciembre sales a comprar lo mismo, solo te alcanzaría para comprar el equivalente a USD 980 del 1 de enero, dejarías de comprar USD 20, a pesar de tener los mismos USD 1000. Este indicador dice cuál es la mínima rentabilidad que deben tener los ahorros anualmente para no perder dinero. Cada mes en todos los países publican este indicador con el fin de mostrar cuánto poder adquisitivo pierde el dinero. Cualquier ahorro inferior a la inflación está perdiendo valor.

Certificado a término fijo: certificado de depósito a término fijo (CDT), o tasas de captación del banco o interés que paga el banco por los depósitos de dinero que las personas les confían.

Si tienes USD 1000 y los llevas al banco, es el interés que el banco te pagará durante un año por tener el dinero con ellos. Si el banco paga al 4% EA y le llevas USD 1000 el 2 de enero, te regresa el 30 de diciembre del mismo año USD 1040, menos retenciones del gobierno, porque este es tu socio en todo negocio que inicies. Tienes una utilidad aproximada de USD 40. Haz cuentas, USD 1000 trabajando para ti durante un año producen USD 40 y tú te los gastas en un almuerzo y un café en una hora. Cuida tu dinero.

Esta es una de las inversiones más seguras que se encuentran en el mercado, por eso su rentabilidad es tan baja, cualquier inversión que desees hacer, y según el riesgo, debe ser superior a esta tasa.

En las asesorías siempre pregunto a las personas por las deudas en tarjetas de crédito, un alto porcentaje las tiene y pagan sus cuotas mínimas.

*Un día llegó una señora llamada Gloria e inicié mi cuestionario, efectivamente, cuando le pregunté por las tarjetas de crédito, me dijo: "Sí, tengo deudas con la tarjeta de crédito, pero solo con una, las otras no las uso, pero la cuota es muy bajita, entonces no me preocupa".*

*Error uno: solo piensa en la cuota bajita, y como mencionó que tiene otras y no las usa, le indagué sobre estas, y me dijo que tiene dos más por las que paga cuota de manejo y las mantiene solo para alguna emergencia.*

*Error dos: paga cuota de manejo a las tarjetas de crédito. Otra pregunta es sobre los ahorros, y ahí las personas dicen orgullosas "claro que tengo ahorros, los tengo en un banco en un certificado de depósito a término fijo (CDT) a seis meses".*

Gloria, estaba pagando intereses al banco del 30%EA por sus tarjetas de crédito, pero el banco le paga al 4% EA por sus ahorros, es decir, doña Gloria le lleva el dinero al banco y este le paga 4%, pero luego toma ese mismo dinero prestado del banco y se lo paga al 30%. El banco feliz con clientes como ella tiene una utilidad del 26% sin poner un peso, una maravilla de negocio, ese 26% se llama tasa de intermediación, es lo que el banco se gana por ser intermediario entre captar dinero (CDT al 4%EA) y colocar dinero al público (Tarjeta de crédito 30%EA). Veamos gráficamente los pedazos de torta que se gana cada uno.

<u>Monto:</u> este es el dinero que llevas al banco o que el banco te presta, y debes regresarlo tal cual, la diferencia está en los intereses, porque estos equivalen a un esfuerzo adicional que debes realizar, la idea es que sean los mínimos posibles.

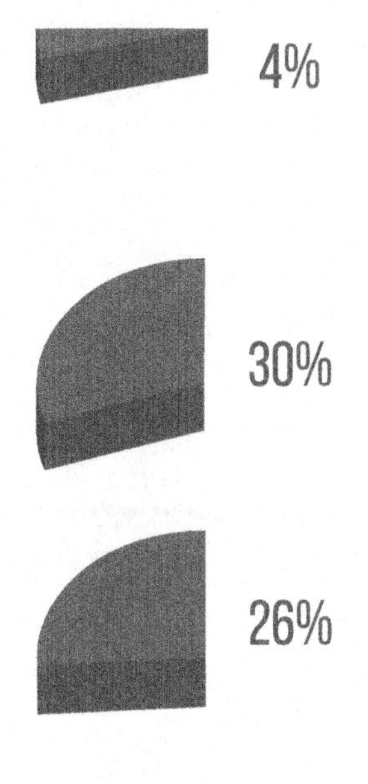


Lo que te paga el banco: es la fracción de torta que "comerás". Es lo que te reconoce el banco, por dejarle usar tu dinero por un año.

Lo que le pagas al banco: es el esfuerzo adicional que debes realizar para pagarle al banco. Debes regresarle lo que te prestó más un esfuerzo adicional que es este pedazo de torta.

Lo que se gana el banco: este es el pedazo de torta con la que se queda el banco, después de captar el dinero y prestarlo. Es lo que pierdes, es tu esfuerzo total de pérdida que se queda en el banco. La única manera de que ganes es que tengas la capacidad de producir un pedazo mucho más grande que el correspondiente a lo que se gana el banco.

**GRÁFICA 20. INTERÉS EN UN PRÉSTAMO**

Si tenemos una torta, el pedazo que cada uno se lleva representa su margen de utilidad; esto nos da una idea clara de cómo se está manejando el dinero. Encontrar altas rentabilidades con bajo nivel de riesgo no es fácil.

*Me acerqué a doña Gloria, no sin antes mirar a todos lados, y le susurré al oído: "Te voy a poner esos ahorros al 30% con bajo riesgo". Me miró sorprendida, sus pupilas se dilataron, la verdad no sé si sus ojos cambiaron porque me tomé el atrevimiento de acercarme un poco o porque entendió lo que le estaba diciendo.*

Mi recomendación fue:

- Saca esos ahorros que te dan el 4% y paga el 100% de la tarjeta de crédito que pagas al 30%.

- Utiliza las recomendaciones del buen manejo de la tarjeta de crédito del capítulo de este libro.
- Ahorra mensualmente la misma cuota baja que pagas a la tarjeta de crédito.
- Sigue ahorrando lo que llevas al CDT del banco.
- Haz un ahorro suficiente y procede con una inversión.

Muchas personas tienen ahorros en bancos a bajas tasas de 2% al 5% y tienen préstamos de libre inversión, tarjetas de crédito, vehículo, créditos hipotecarios entre otros al 10%, 20%, 25% y hasta el 30%. Haz que el dinero se quede en tu bolsillo y no en el banco.

**Recomendaciones**

- Paga todas las deudas de consumo que tengas a altas tasas de interés.
- Prosigue con las deudas de inversión y libera flujo de efectivo mensual.
- Ahorra dinero con el objetivo de realizar una inversión.
- Cuida tu flujo de efectivo mensual, no destruyas patrimonio.
- Haz inversiones que te generen rentabilidades superiores a un CDT.
- Ponte bonito para el banco y apaláncate en él.
- Haz inversiones que te generen efectivo mensual, como propiedad raíz.
- Regálate un premio de deseo cada que logres una meta financiera.
- Recuerda que algún día llegarás a la tercera edad, cuida tu retiro.

## HAZ DE TUS HIJOS LOS MEJORES INVERSIONISTAS

Al inicio del libro pedí hacer una regresión mental para buscar en la niñez cuáles referentes tenías frente al dinero. La mayoría de las creencias en la administración del dinero las adquirimos cuando somos niños, por eso no dudemos en dedicar tiempo para enseñarles a nuestros hijos, desde temprana edad, sobre una buena administración del dinero y darles responsabilidades a medida que crecen.

Los padres hacen su mejor esfuerzo para ingresar a sus hijos a colegios de buen nivel académico. En este contexto muchas veces sale a relucir el ego de padres e hijos pequeños y adolescentes. Algunos padres se ven con "el agua al cuello" para poder pagar el colegio, y los hijos, sobre todo los adolescentes, en un ambiente de competencia y de apariencias van demandando una serie de gastos que sus padres no tienen con qué cubrir.

Es usual en los colegios, después del periodo vacacional, la clase con el profesor que siempre pide a los estudiantes describir qué hicieron en sus vacaciones y es allí, en momentos claves como este, donde sale a relucir el ego y la angustia para algunos. Después de esa clase, no faltan los niños que llegan a casa a exigir unas vacaciones de tal o de esta manera porque sus compañeros de clase ya pudieron gozar de ellas. En los cumpleaños manifiestan dónde y cómo quieren su celebración. Los padres con un sentimiento de culpa que los anima a darles a sus hijos lo que ellos no tuvieron, o lo que los compañeros de su hijo tienen, se embarcan en gastos sin necesidad. No compremos el cariño de nuestros hijos con las cosas materiales que nosotros no tuvimos para calmar nuestra frustración, enseñarles a administrar y ganarse el dinero será mucho mejor para que no cometan nuestros mismos errores financieros.

Esos momentos son una oportunidad para que los padres tengan firmeza y muestren la realidad a sus hijos acerca de las finanzas familiares y de cómo se mueve el dinero; será una inversión excelente para el resto de sus vidas; no olvides que ellos en algún momento tendrán ingresos y manejarán su dinero, de tal forma que lo que fundamentes en su niñez, se sembrará para el resto de sus vidas. Haz de los hijos unos excelentes administradores, serán quienes posiblemente cuiden de ti y de tu patrimonio en la vejez.

Invirtamos tiempo en enseñarles a administrar el dinero, darles una mesada cada domingo, una alcancía o hacer que paguen algunas cosas les será de gran utilidad. De acuerdo con la edad de tus hijos es necesario explicarles el movimiento del dinero y que entiendan cómo se genera, las diferentes fuentes de ingreso, la diferencia entre inversión y gasto y los demás conceptos.

No hay que cometer el error de encerrar a los hijos en burbujas de cristal ajenas a la realidad financiera familiar y a la de un mundo capitalista que se mueve alrededor del dinero. Ellos tarde o temprano tendrán que salir a ganar su pan y administrar sus ingresos; ojalá no sea destruyendo el patrimonio que con esfuerzo les costó construir a los padres. Así que hay que invertir tiempo en enseñarles a cuidar el dinero, a multiplicarlo, a ser frugales y, sobre todo, a darle prioridad al ser y no al tener.

Es importante considerar la edad de nuestros hijos para darles pautas acerca de la administración del dinero; desde el rol de padres podemos identificar habilidades, cambios en la madurez y en el comportamiento de los hijos, que permiten que definamos acciones específicas para la formación financiera de acuerdo con diferentes etapas de vida, a partir de mi experiencia estas son algunas recomendaciones:

Los padres deseamos que nuestros hijos sean felices, y la angustia de proveerles todo para su felicidad nos ha llevado a sobreprotegerlos, dado que muchos entendemos la felicidad de nuestros hijos como evitarles el dolor, y la verdad es que nos estamos equivocando, a nuestros hijos les debemos permitir enfrentar la vida con su cruda realidad bajo nuestra supervisión, y que ellos aprendan y desarrollen sus propias enseñanzas. Así cuando estén solos, estarán mejor armados para afrontar las vicisitudes de este mundo capitalista, del que todos sabemos que no es fácil, y si creen que sus padres son crueles, que esperen a tener un trabajo con la necesidad del dinero, y un jefe que los presiona y los humilla, o la pérdida de dinero por una super inversión que resultó en estafa, o ser codeudor del mejor amigo que no pagó, entre otros altibajos de la vida. Así que dales la oportunidad a tus hijos de aprender a equivocarse, frustrarse, sentir dolor o pérdidas; mientras estén bajo tu control, quedarán mejor entrenados para afrontar la vida.

**Niños menores de seis años**

A los niños menores de seis años debemos aclararles que las cosas tienen un precio en dinero y que este se gana con trabajo y esfuerzo en el tiempo que se requiere para realizarlo; explicarles que cuando papá y mamá no están en casa es porque están trabajando para generar el dinero con el que se paga la comida, la ropa, el colegio y demás cosas, incluso ese juguete que quiere.

Cuando el niño se antoje de un juguete es recomendable expresarle que si se compra hay que sacrificar otra cosa, como por ejemplo la salida al cine, una entrada al parque de diversiones o algo más que él aprecie; así va comprendiendo que sus peticiones no se cumplen con el mero acto de pedir y que la oportunidad de comprar algo ya, limita un deseo futuro.

La idea es no confundirlos, pero sí lograr acciones que los familiaricen con el dinero como la entrega de billetes para que ellos mismos paguen algo que desearon comprar en algún establecimiento y así, poco a poco, comprendan que cada cosa a su alrededor tiene un precio en dinero

**Niños entre seis y nueve años**

En estas edades deben cumplir algunos compromisos en casa: recoger juguetes, llevar los platos a la cocina, llevar la ropa sucia al sitio adecuado, entre otros. Pero también es bueno asignarles

algunas tareas extras y pagarles algún dinero por ellas: lavar el carro, barrer el jardín, guardar la ropa seca; de tal forma que perciban que pueden ganarse un ingreso para comprar algunos de sus antojos o para ahorrar.

Otras acciones que podemos realizar con ellos son convidarlos a que nos acompañen en algún momento a retirar o consignar dinero al banco. En la medida de nuestras posibilidades, darles una mesada, ración o pensión cada domingo para toda la semana; ellos elegirán qué hacer con este dinero, si corren a comprar toda clase de dulces y se gastan todo en uno o dos días, cuando vengan durante la semana pidiendo para comprar un helado, en ese momento debemos explicarles que ya se gastaron su dinero, y que deben esperar hasta el siguiente domingo; muy similar a como se manejan los periodos de pago en las empresas. Esa pequeña espera les servirá para ahorrar y sacar de su mente el anhelo de satisfacción inmediata, que nos impulsa cuando no tenemos dinero a realizar compras con tarjeta de crédito.

Incluso, podemos ofrecerles guardar su dinero y pagarles unos intereses generosos, para que aprecien el ahorro y la inversión. No caigamos en el error de la satisfacción inmediata, esto se reflejará en la edad adulta; hacerlos esperar por la mesada del siguiente domingo, o ponerles una actividad para ganarse un dinero extra, les permitirá entender el valor de la espera y el trabajo.

A esta edad se consolida buena parte de la administración del dinero para el resto de la vida. Llevarlos al banco, explicarles las denominaciones de los billetes, ir a pagar con ellos las cuentas mensuales y recoger las vueltas en su presencia son cosas sencillas que harán de nuestros hijos unos buenos administradores del dinero.

## Para niños entre diez y catorce años

En esta edad deben tener nociones claras sobre el ahorro, la inversión, el trabajo y el banco; deben saber ganar dinero extra con trabajos en casa. Es momento de ir a una entidad bancaria para abrir su primera cuenta de ahorros, también de enseñarles qué es una tarjeta débito, crédito, cheques, préstamos. Realizar con ellos diálogos y reflexiones sobre el tema de la publicidad, donde puedan percibir que los productos que ofertan no son la felicidad y mucho menos, los harán parecer como los modelos de internet, la televisión y demás medios de información. No complacerlos en todo, dejar que experimenten el sentido de la frustración los fortalecerá en varios aspectos frente a la vida. La tarea es trabajar en su autoestima, en su aceptación personal y el respeto hacia los demás; aspectos que para nada se fundamentan en el tener, sino en el SER.

En esta edad, en la medida de las posibilidades, es bueno darles una mesada mayor y pagarles por actividades extra que no estén dentro de sus deberes. No es recomendable que sean altas sumas de dinero, deben ser simbólicas para que tengan la ocasión de tomar decisiones sobre un recurso limitado y experimenten el costo-oportunidad del dinero, así que hay que explicarles el valor finito de este.

## Adolescentes entre 15 y 19 años

Los adolescentes son un blanco fácil para la publicidad, ya que ellos pasan demasiadas horas utilizando diferentes medios de comunicación y los mensajes publicitarios influyen en la toma de sus decisiones. A esta edad son más vulnerables a dejarse llevar por los estereotipos que venden los medios, dejándose manipular por las "modas" del momento sin detenerse a pensar si lo que quieren realmente lo necesitan. Su búsqueda de aceptación y reconocimiento dentro de un grupo de amigos es fundamental en sus vidas. Si los adolescentes no están preparados emocionalmente para todo este bombardeo publicitario del momento, seguramente van a presionar a sus padres para que les concedan cada uno de sus deseos con la ilusión de verse o sentirse bien a través del uso o consumo del producto de moda.

En esta edad deben tener capacidad de ahorro e incluso, realizar ciertas inversiones con el resto del grupo familiar o fuera de este, siempre bajo la asesoría y supervisión de sus padres. La mayoría de sus ingresos deben provenir del apoyo de sus padres, de labores adicionales que realizan en casa: pequeñas ventas a compañeros o familiares, trabajos manuales y, por qué no, de la participación en alguna empresa familiar. Hay que hacer un mayor énfasis en la consolidación de una buena autoestima, priorizando siempre el ser sobre el tener.

Después de los 18 o 19 años, se puede pensar en gestionar su primera tarjeta de crédito y monitorear sus hábitos de consumo. Teniendo muy claro cómo funciona el sistema financiero, y cómo es el movimiento del dinero para cuidarlo e invertirlo.

Al final de este periodo ¡ya lo que fue, fue! Nuestros hijos están listos para salir al mundo. ¿Cómo quedó su educación financiera? No pasará mucho tiempo para tener la respuesta a esta pregunta dentro de pocos años, seguramente, recogerás los frutos que sembraste. Aunque pueden existir excepciones a la regla y, a pesar de recibir una buena educación financiera, encontramos jóvenes adultos que piensan que siempre habrá tiempo para recuperar el dinero que derrochan.

De todo corazón deseo que los frutos que se recojan sean dulces, si, por el contrario, son amargos, ten la tranquilidad de que realizaste el mejor esfuerzo y busca corregir en tus nietos los errores cometidos por tus hijos. Se espera que después de un buen trabajo queden satisfechos y puedan gozar de su vejez sin preocupaciones adicionales, más que el disfrute de su pensión. Espero no sean como muchos padres, que logran una buena pensión y se ven en la obligación de compartirla con los hijos, porque estos no lograron administrar bien su dinero.

Hacer a los niños partícipes del control financiero familiar, de pedir los recibos, comentar continuamente lo que es gasto e inversión, posibilita que siembren en sus hábitos un gran beneficio para el resto de sus vidas.

Toda familia en algún momento tendrá crisis financiera por algún evento, incluso, la pérdida del empleo de alguno de los padres, lo que debe traducirse en un recorte de gastos superfluos, de estas eventualidades debemos ser partícipes todos, no ocultemos esta información, a medida que todos aportan podrán salir más fácil del aprieto. Seguro pondrán en práctica estrategias de ahorro que favorecerán los beneficios económicos para la crisis y la familia. Pero tampoco ocasionemos en nuestros hijos un estrés que no es necesario, ante una pérdida de empleo se hace una reunión para un recorte de gastos y no es necesario explicarles a nuestros hijos la gravedad de la situación para no perturbar sus emociones con asuntos que no les corresponde resolver.

Como soy estudioso del tema financiero, permanezco atento a la manera cómo mis familiares y amigos administran el dinero, cómo educan a sus hijos y las consecuencias de sus acciones.

*Un amigo de mi familia, a quien estimo mucho, siempre estaba renegando del colegio donde estaba su hijo, decía que todos los profesores le ponían las peores tareas y debía pagar a un profesor extra para que le ayudara en sus responsabilidades académicas. Su niño creció y logró graduarse de bachiller con sus compañeros.*

*Hoy veo a este muchacho perdido sin saber qué hacer y debajo de la sombrilla de papá y mamá, aunque ya entró a los 30 años, sigue en casa como NINI: ni trabaja ni estudia, apegado a lo que sus padres hagan por él ¿La culpa es del muchacho o de los padres?*

*Aquí es donde reflexiono que los padres perjudican a sus hijos, haciendo por ellos lo que ellos están en capacidad de hacer. Los padres están recogiendo lo que sembraron, deberán mantenerlo el resto de sus vidas y cuando falten no tengo idea de qué será de este hombre, que ni para pensión estará cotizando.*

Hay que educar a los hijos sin allanarles un camino sin obstáculos; enseñarles que hay que esforzarse por lograr muchas cosas, permitirles que se equivoquen y que asuman las consecuencias de sus errores. Capacitarlos financieramente; tarde o temprano, deben aprender a volar por ellos mismos y serán el reflejo de lo que formaste. En algún momento los hijos administrarán sus riquezas o serán herederos de tu patrimonio y todo lo que les enseñes, deberán ponerlo en práctica. Asegúrate de que tengan unas raíces fuertes, para que ante una amenaza de huracán el árbol tenga de donde sostenerse. Espero que éste resultado sea motivo de orgullo por el resto de su vida.

*Nunca es tarde para aprender a manejar tus finanzas, pero si empiezas temprano, llevas ventaja.*

## TU PENSIÓN, LA MEJOR INVERSIÓN

Dentro de los retos de unas finanzas personales sanas, está dormir tranquilo sin deudas, acumular un patrimonio que te permita ingresos pasivos y llegar a una vejez con ingresos dignos. Debemos ser conscientes de que esa materia de ahorrar para la vejez no la vemos en el colegio ni en la universidad, y que el sistema tampoco ayuda a prepararnos para estos objetivos, por eso los gobiernos de los diferentes países han diseñado modelos de pensiones, fondos de retiro o jubilaciones para ayudarles a las personas a ahorrar un dinero durante su vida laboral, que será regresado en la vejez. De estos modelos de negocio hay cientos por todo el mundo, no solo de los gobiernos, sino como seguros e inversiones, donde ahorramos y nos regresan el dinero en nuestra vejez. Una buena pensión es la mejor inversión que podemos hacer en nuestra vida, se tiene ingreso bajo el mínimo esfuerzo y todo el tiempo libre.

En nuestra sociedad una persona de la tercera edad que no tiene pensión ni ingreso alguno, se vuelve una carga para el estado y sus familias, quienes deberán destinar recursos para su sustento, por eso cada gobierno hace lo posible para que las personas ahorren durante su vida laboral para su vejez. Similarmente, te conviene que tu entorno familiar, padres, hermanos e hijos hagan lo mismo, de lo contrario, se pueden convertir en una responsabilidad financiera para ti.

No es un secreto que en algún momento de nuestra vida dejaremos de laborar, lo que se espera para ese momento es que tengamos una pensión o jubilación, o alguna renta o seguro de inversión para vivir, de lo contrario, el panorama no es nada alentador. Mientras la salud lo permita, se tendrá que trabajar por el resto de la vida. Mi deseo es que a esa edad la mayor preocupación no sea producir algo de dinero para poder comer.

En este capítulo deseo llamar la atención para que hagas un análisis de cómo deseas tu vejez, no te preocupes, cada mañana que te levantas estás más cerca de llegar, te animo a que manejes la pensión como modelo de negocio, ya sea a través de las opciones que determina el gobierno, por los medios privados o con inversiones. Según sea tu realidad financiera procura tener una combinación. Muchas personas me piden consejo, despotricando de los modelos del gobierno, y que "Es mejor tener la plática en inversiones de propiedad raíz", que "si trabajo ese dinero le hago más que lo que me entregaría el gobierno" ... entre otros. La verdad es el modelo de propiedad raíz me gusta bastante e invierto en este sector, pero las energías que tengo en este momento para lidiar con inquilinos, administraciones, rentas, inmobiliarias, agentes de arrendamiento, reparaciones, inmuebles desocupados, impuestos, entre otras, no serán las mismas cuando llegue a 70 u 80 años, para esa edad deseo que mi mayor esfuerzo sea consultar mi saldo y retirar mi mesada.

Por eso el llamado de atención es sobre la importancia de tener y acumular para un retiro digno, sea cualquiera de los modelos, con una recomendación para esa época de la vejez: que el ingreso sea con el mínimo esfuerzo. Una pensión vitalicia de un valor digno es lo mejor que podemos tener para disfrutar una economía tranquila y saludable en nuestra vejez.

Manejar la pensión o jubilación como una inversión será una de tus mejores decisiones, es el dinero que tendrás para vivir los últimos años de tu vida en este maravilloso mundo, por lo tanto, el tiempo que dedicas a planificar y lograr esta inversión se recuperará con satisfacción en los momentos en que más lo requerirás.

Debemos considerar que hay una leve diferencia en el significado de PENSIÓN y JUBILACIÓN, cuando hablamos de pensión nos referimos a un dinero que recibes regularmente para tu sustento, mientras que jubilación, también tiene el mismo significado anterior, pero asociado a la alegría, goce y júbilo, lo que indica que es mejor tener una jubilación. Entonces, mi deseo sincero es que logres una jubilación, con una remuneración suficiente de alegría, goce y júbilo.

### ¿Qué es manejar la pensión como una inversión?

Es preocuparte por ello desde temprana edad, entre más temprano inicies tendrás mejores réditos en tu retiro. Verifica cómo funciona el modelo de pensión en tu país y haz un análisis en número de salarios mínimos mensuales, de tal forma que puedas comparar los salarios mínimos que ganas hoy con los que puedes recibir cuando obtengas tu jubilación. Este ejercicio lo realizas con un simulador de tu fondo de pensiones.

Es importante que consideres que no es lo mismo el dinero hoy que en la fecha de tu jubilación, por lo tanto, debes asegurarte de que el monto que te da el fondo de pensión sea el valor presente neto, es decir, que no te presente el valor a recibir dentro de 5,10, 20 o 30 años para que lo compares con el monto que estás recibiendo hoy porque no corresponden. Esto lo usan mucho las aseguradoras que te ofrecen seguros con retorno de la inversión como pensión vitalicia, te dicen que si ahorras un dinero te regresan el dinero de forma vitalicia a partir de los 65 o 70 años y te dan un valor, el problema es que el valor que dicen que te regresan es dentro de 20 o 30 años, que será muy inferior al poder adquisitivo de ese monto hoy. Si estás analizando un seguro de estos con renta vitalicia, pide que te den el valor presente neto de esa renta y así puedes comparar lo que puedes comprar hoy con ese dinero, que será más o menos lo mismo que comprarías en el futuro.

La jubilación de una persona es como la huella dactilar, única e irrepetible, son todas diferentes, cada uno tiene su propia historia. En mi vida me han preguntado mucho sobre recomendaciones para una buena pensión, esto es lo que podemos llamar la pregunta del millón, porque no solo debemos considerar el pasado y presente laboral o de ingresos de cada persona, sino tener la bola mágica que nos permita predecir qué pasará en la vida laboral y con los ingresos de cada individuo en los próximos años hasta lograr la pensión. Con esta información podemos definir cuál fondo, método o sistema será mejor. Aquí radica una de las dificultades primordiales para planear la pensión, lo pasado y presente está dado, pero el futuro es un poco complicado para predecir, sin embargo, debemos planear, siempre será mejor cambiar el rumbo sobre un plan, que sin ninguno.

*Tengo un conocido de la familia que llamaremos el señor Juan, lo recuerdo mucho desde mi niñez, mi familia se refería a él como un hombre emprendedor y trabajador, bueno para los negocios y esto se vio reflejado durante su vida, a pesar de tener una educación básica, pero que al combinarla con su ímpetu trabajador y su habilidad para los negocios logró un almacén de buena reputación y buenas ventas que le permitieron darle a sus cinco hijos educación universitaria.*

*En su casa nunca faltaron las vacaciones cada año, un carro familiar, buena salud, educación, alimento y todo lo necesario de una familia de clase media promedio. Pero como todo pasa y las energías se agotan a don Juan empezaron a pasarle factura las largas horas de trabajo, la mala alimentación por comidas a deshoras, entre otros hábitos que lo llevaron a adquirir una diabetes, enfermedad silenciosa que te va afectando la visión, te puede llevar a perder extremidades, entre otros males.*

*Este infortunio dejó a Juan sin una pierna, casi ciego y en silla de ruedas, y detrás de esto se fue diluyendo su patrimonio. A esta situación lamentable se le suma que don Juan nunca cotizó para su pensión, eso lo arrojó a una dramática condición, ya que debe ser mantenido por sus hijos, en términos más crudos es una carga para ellos y debe vivir de arrimado después de una buena vida.*

No quiero que a nadie le pase lo de Juan, mi deseo es que todos lleguemos a nuestra vejez en condiciones económicas adecuadas y en lo posible en buena salud. Si Don Juan hubiera cotizado/ahorrado para la jubilación, esto no le quitaría sus enfermedades, pero si le permitiría tener una vejez más tranquila y los más agradecidos posiblemente serían sus hijos.

La historia de Juan es la de muchas personas independientes que teniendo dinero para ahorrar o pagarse una pensión no lo hacen porque piensan que nunca se harán viejos y su vitalidad para trabajar y hacer negocios nunca faltarán, así como Juan no sabemos cómo llegaremos a nuestra vejez. Muchas de mis asesorías van encaminadas a personas que compran propiedad raíz para su vejez, se los avalo, pero siempre les advierto que las energías de la juventud no son las mismas de la vejez y que tener inmuebles es una excelente opción, pero consideremos que les debemos hacer mantenimiento, arrendarlos, pagar impuestos, un inquilino puede fallar con la renta, entre otros temas que tienen las propiedades, en el caso de una jubilación mi mayor esfuerzo es pasar al banco a retirar la mesada.

Hay personas que fundamentan su pensión en acumular un patrimonio para su vejez, todo patrimonio por pequeño que sea requiere de administración, si es propiedad raíz requiere gestión y esto es tiempo y energía en tomar decisiones. Una pensión que llega a mi cuenta bancaria bajo el mínimo esfuerzo, la única preocupación que va a generar será cómo gastarla, porque el siguiente mes llega el dinero otra vez. Así que analiza muy bien cómo deseas pensionarte, recuerda que a un viejito con dinero todo el mundo lo quiere.

*Si no logras una pensión, estás condenado a trabajar el resto de tu vida.*

**Recomendaciones:**

- Analiza dónde estás y para dónde vas. Haz un alto en el camino para verificar cuánto tienes ahorrado para la jubilación, cuánto te falta y qué requieres para lograrlo.
- Pide la historia laboral en tu entidad: cuántas semanas o dinero tienes ahorrado y lleva registro de éste y cada año lo debes actualizar.
- Considera que el dinero que requieres como jubilado no es el mismo que requieres durante tu vida laboral, posiblemente tus hijos ya son independientes, tienen sus trabajos o la mayoría de edad y podrán defenderse solitos.
- Haz cuentas del número de salarios mínimos que quieres para jubilarte. ¿Cuál es tu ingreso hoy y cómo lograrás ese número de salarios en tu vejez?
- Recuerda: que nuestra jubilación llegue a nuestro bolsillo con el menor esfuerzo posible.
- Sin importar la edad, revisa y trabaja para tener una pensión, será el sustento del final de tus días, vale la pena.
- ¿Recuerdas a mi amigo Juan?, no deseo que le pase esto a nadie, por eso planifica y ahorra mientras estás en capacidad de producir dinero. Si el señor Juan tuviera un patrimonio en su estado de silla de ruedas y con baja visión también se le dificultaría la administración de los bienes.
- Considera que tu pensión es un ahorro durante tu vida laboral productiva, que recuperarás en tu vejez y vida cesante.

Cuando cotizas para pensión estás tomando entre 16% y 20% de tu salario mensual, dependiendo del país, de este valor te descuentan normalmente para el seguro y la administración de tu dinero y otro porcentaje para las personas más pobres, al final a tu cuenta individual se suma cada mes entre un 11% y un 14%. La pensión que pagas cubre adicionalmente un seguro para invalidez o muerte y comprende estos tres objetivos:

1. Pensión por vejez: éste es el dinero que te regresarán cuando cumplas los requisitos de retiro y el dinero suficiente para disfrutar hasta que la muerte te separe de este bello mundo. Tu mesada es un porcentaje de lo ahorrado o pagado en los últimos años, entre más pagues o ahorres más alta será tu mesada.
2. Pensión por invalidez: se obtiene en el caso de una calamidad por accidente o enfermedad y no puedes continuar trabajando, te pensionan con un monto que es un porcentaje acorde con lo que cotizas de manera mensual; esto lo cubre un seguro que pagas con cada cuota.
3. Pensión para sobrevivientes: en caso de una fatalidad el seguro cubre una pensión para tu familia, es un porcentaje de lo ahorrado, cubre generalmente a tus hijos menores de 26 años que estén estudiando y a tu pareja.

Cotizar para pensión te permite tener un ahorro para la vejez y, además, pagas un seguro que cubre a tu familia y a ti.

Supongamos que a tu cuenta individual se abona para pensión el 12% mensual, requieres trabajar 8.34 meses aproximadamente para ahorrar un salario, si trabajas por 26 años, habrás acumulado aproximadamente 37 salarios, es decir, después de trabajar 26 años, ahorraste durante tu vida laboral para tres años de salario, una vez te pensionas a los 65 o 70 años, vas a vivir por lo menos 15 o 20 años más. Por eso me parece un excelente negocio invertir en la pensión, ahorras durante tu vida laboral para tres años, pero el sistema te debe dar dinero por 20 años.

¿Cómo hacen las administradoras de los portafolios? Explicar esto sería un poco complicado en este libro, pero te voy a dar una idea de lo que pasa con tu dinero para poderte garantizar una mesada hasta que la muerte te separe de esta hermosa tierra:

1. El dinero que aportas el primer mes laboral no es el mismo del año 26, ese dinero estuvo invertido por 26 años produciendo más dinero.
2. Cuando logres tu jubilación, la tasa de reemplazo o el dinero que recibirás mensual es un porcentaje que puede ser entre 0.3% y 0.7% de lo ahorrado. Con respecto a tu último salario puede bajar bastante. Se supone que a esa edad los requerimientos de dinero para vivir son inferiores.
3. Tu dinero continuará en portafolios, produciendo más dinero mientras vivas.

Esto hace que tu dinero rinda más, pero debes considerar que ahorraste durante la vida laboral para tres años.

Lo anterior es un ejemplo de cómo funciona el sistema para la pensión, debes averiguar las condiciones de tu país e invertir para que tu jubilación sea la mejor posible.

En el mundo cada país tiene una bomba de tiempo con las pensiones, en general se usan dos tipos:

**Sistema de reparto:** es una bolsa común donde van los aportes de todos, los que estamos laborando, pagamos los pensionados de hoy y a nosotros nos pagarán los que están naciendo o por nacer. La fórmula se descuadró en los últimos años, dado que los nuevos jóvenes no están teniendo hijos.

**Cuenta individual**: todo tu aporte va a una cuenta individual y el dinero es solo tuyo, no se mezcla con otro, tu mesada es proporcional a lo que ahorres, entre más dinero ahorres, tienes la posibilidad de tener una mesada más alta.

Para complementar que la pensión es un excelente negocio, deseo que analices la siguiente gráfica del pasado, presente y futuro inmediato de la esperanza de vida de la población mundial.

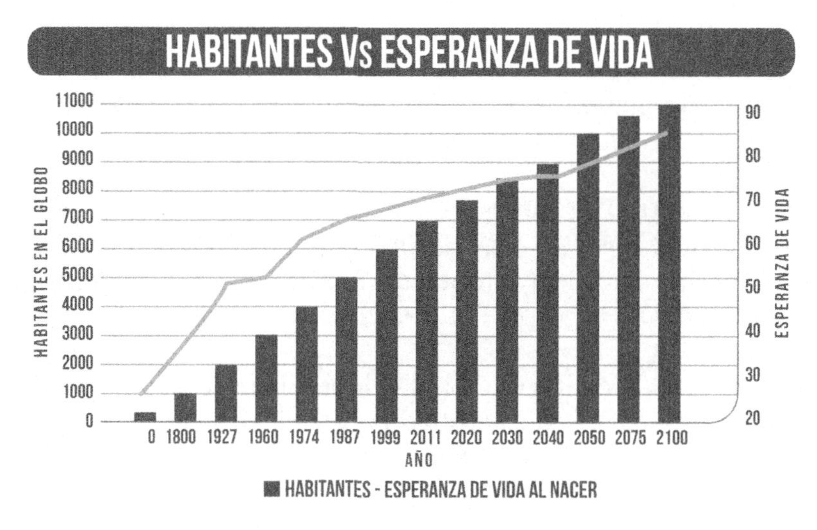


**GRÁFICA NO. 19. HABITANTES Vs ESPERANZA DE VIDA**

En el eje izquierdo, las barras representan el número de habitantes en la tierra, así, para el año cero se estima que había en el planeta un aproximado de 300 millones de habitantes. A los primeros 1.000 millones se llegó en el año 1800, y para este mismo periodo miremos la línea con el eje de la derecha, que es la esperanza de vida de un niño al nacer, en el año cero era de 27 años, y para el año 1800 la esperanza de vida promedio mundial era de 37 años, es decir, pasaron 1800 años para que la humanidad lograra aumentar en 10 años la esperanza de vida de un recién nacido, mientras solo se incrementó la población en 700 millones de habitantes.

Del año 1800 al 2011 cada una de las barras representa el aumento de la población mundial en 1.000 millones de habitantes, mostrando que para el año 2011 se llegó a los primeros 7.000 millones de habitantes en el globo. Este crecimiento vertiginoso se alcanzó debido a los avances en la medicina, personas mejor alimentadas, disminución de las guerras, mejor calidad de vida, entre otros factores de bienestar humano.

Para un recién nacido en el año 2011 la esperanza de vida se estimaba de 71 años (según Naciones Unidas), lo que se traduce en un avance abismal en la esperanza de vida, ya que pasaron solo 211 años para lograr un aumento de 37 a 71 años, esto es 34 años más, casi el doble, si comparamos 1800 años para mejorar solamente 10 años. Realmente la humanidad está en uno de los momentos de mayor avance en su esperanza de vida y calidad de vida.

En el año 2020 se estimó una esperanza de vida a nivel global de 72 años, y para el año 2100, con una población mundial proyectada de 11.200 millones de habitantes, una esperanza de vida global de 77 años promedio.

La esperanza de vida es global y depende mucho del país donde se nace; para países desarrollados, en el año 2050, podríamos estar hablando de 87 a 89 años, para países en vía de desarrollo, de 82 a 86 años. Para Japón, el país con la población más longeva del mundo, en el año 2050 se espera una esperanza de vida de 91 a 93 años.

La esperanza de vida está basada en el promedio de vida de un recién nacido hoy, para una persona de 20 años, por ejemplo, la esperanza de vida es mayor que la del recién nacido, pero si tienes 40 años la esperanza de vida es aún mayor que el recién nacido y el de 20 años, y si tienes 60 años, este tiene mayor esperanza de vida que los anteriores y para esta persona de 60 años podríamos estar considerando una esperanza de vida de 86 a 88 años, donde un recién nacido la tiene de 75 años.

La conclusión que puedes sacar de este análisis es que vas a vivir alrededor de 90 años, y si te pensionas, en promedio entre los 60 a 65 años, vas a requerir ingresos para vivir dignamente de 25 a 35 años más, mucho más tiempo del que posiblemente trabajaste para lograr la pensión, por lo tanto, es un excelente negocio cotizar para pensión, será de las mejores inversiones que disfrutarás el resto de tu vida.

Es de aclarar que las pensiones en el mundo normalmente benefician más a las mujeres, estas pueden pensionarse entre 2 y 5 años antes que los hombres, pero las mujeres estadísticamente viven en promedio entre 4 y 6 años más que ellos. Esto traduce que para las mujeres es mejor negocio cotizar para pensión que para los hombres, estas tienen mejores tasas de retorno, ya que la pensión las beneficia entre 6 y 10 años más, dependiendo del país.

Por favor, por favor, por favor verifica y planea tu jubilación, no te vas a arrepentir, verifica tu entorno y las condiciones de vida de las personas de la tercera edad y cómo viven si lograron una jubilación o si por el contrario están sufriendo y produciendo dinero aun para poder comer. Esto te permite ver la realidad de la vida en el futuro, y te sirve como aliciente para trabajar en tu jubilación como modelo de negocio.

Por último y especialmente si estás arriba de los 70 años, por favor deja un testamento, fideicomiso o similar sobre tus posesiones, bienes y derechos, le estás haciendo un gran favor a tú familia. Aquí te dejo algunos motivos:

1. Puedes ahorrarles a tus herederos una buena suma de dinero en abogados y procesos legales que tardan tiempo y desgastan la familia.
2. Dispones como desees de tus bienes en vida. Así podrás destinar algunos bienes o recursos para aquellos hijos o personas con quien se tiene un mayor agradecimiento por favores recibidos durante tu vida.
3. Existe la figura de usufructo, en la cual escrituras o cedes tus bienes a terceros (cónyuge, hijos, nietos, etcétera), pero tú conservas el uso, goce, rentas, y rendimientos de estos en vida y el tercero solo podrá hacer uso de ellos cuando termine el usufructo, que puede ser hasta la muerte.
4. Cada país tiene su normativa específica que debes verificar. En una sociedad conyugal, usualmente, la mitad de los bienes obtenidos estando en pareja pasan a quien sobrevive, el otro 50% es para los herederos que son los descendientes directos de la persona, es decir, sus hijos y nietos, si no los hay, los bienes pueden pasar a los padres, pero si tampoco existen ya, la sucesión quedará en manos de sus hermanos y sobrinos, y si no existe ninguno, los bienes pasan a mano del estado.
5. No solo sirve para repartir bienes, también se puede aclarar otros temas como dejar consignado su derecho a morir dignamente, reconocer hijos, donar órganos o incluso organizar detalles de Tu propio funeral.
6. Se tienen seguros de vida y seguros de créditos. En algunos casos, los seguros de créditos son superiores a la deuda actual y sobra un dinero que pasa a la sucesión.

Cuando los padres faltan y dejan bienes, las desavenencias no siempre se resuelven por las buenas, en algunas familias se forman fuertes trifulcas que llevan a acabar la armonía familiar por la que trabajaron sus padres. He sido testigo de varias atrocidades de estas y de seguro tú también conoces algunas, salen a flote los egos y ambiciones no solo de los hermanos y familiares cercanos, sino de esas nueras y yernos que presionan a tus hijos, muchas veces no con buenas intenciones y que con un testamento se reducen dichas acciones.

Hemos llegado al final y deseo agradecerte por el tiempo y la confianza depositada al leerme, puse lo mejor de mi ser para entregarte en estas líneas un conocimiento que he recogido por más de 20 años, así mismo espero haberte dado información financiera valiosa, y si consideras que le puede servir a algún ser querido, no dudes en recomendarme, mi única intención es mejorar la vida financiera de las familias, dejando el dinero en los bolsillos de estas y no en el sistema.

Gracias, Gracias, Gracias,
Con Gran Aprecio
**Juverley Londoño Agudelo**
*info@dinerofelicidadtiempolibre.com*
*www.dinerofelicidadtiempolibre.com*

# BIBLIOGRAFÍA

Ware, B. Los cinco arrepentimientos de los moribundos. Tomado de https://www.bbc.com/mundo/noticias/2012/01/120131_arrepentimiento_al_morir_men

Stanley, T, Dancko, W. (2006). *El millonario de al lado.* Argentina: Atlántida.

https://datos.bancomundial.org/indicador/SP.DYN.LE00.IN?end=2017&start=1960&view=chart

https://population.un.org/wpp/Graphs/DemographicProfiles/Line/900

https://www.un.org/es/sections/issues-depth/population/index.html

## NOTA ACLARATORIA

El contenido del presente libro no constituye una oferta o persuasión de compra o venta de instrumentos financieros e inmobiliarios, está basado en la experiencia del autor, en los aciertos y desaciertos que lo animan a presentar unas recomendaciones que han dado resultados positivos en sus finanzas y en las de otras personas. El lector debe ser consciente de que la información a la que se refiere el libro puede no ser compatible con sus objetivos concretos de inversión y administración del dinero, por lo que deberá adoptar sus propias decisiones de inversión, procurando a tal fin el asesoramiento especializado que considere necesario y salvaguardando sus intereses económicos.

Sobre el autor
**JUVERLEY LONDOÑO AGUDELO**

Nació en Betulia (Antioquia - Colombia), creció con el aroma de las montañas cafeteras del suroeste Antioqueño. Ingeniero Electrónico de la Universidad de Antioquia, cofundador de la empresa OSP INTERNATIONAL CALA SAS, cofundador de la fundación Medellín Próspera, inversionista en bienes raíces, asesor financiero, conferencista y un apasionado por las finanzas familiares. Desde el año 2000 inició con el estudio del movimiento del dinero, cómo funcionan los bancos, cómo administrar el dinero de la familia, y con la observación de estos años ha decidido escribir el presente libro para compartir con las personas su conocimiento.

El libro está pensado para que las familias mejoren sus finanzas, adquieran conocimientos para la administración del dinero, comprendan cómo funcionan los préstamos bancarios, logren que más dinero se quede en sus bolsillos, proyecten inversiones, obtengan una mejor pensión, valoren el tiempo libre y la felicidad de la familia como eje fundamental de la sociedad.

Medellín
Prospera®

Formamos en competencias financieras, relacionales y emocionales, con un modelo educativo experiencial que inspira personas a desarrollar su potencial para crear riqueza integral.

*www.medellinprospera.org*

Printed in Great Britain
by Amazon